DIEU
ET LA SCIENCE

— vers le métaréalisme —

OUVRAGES DE JEAN GUITTON AUX ÉDITIONS GRASSET

ACTUALITÉ DE SAINT AUGUSTIN
LE CARDINAL SALIÈGE
CE QUE JE CROIS
DIALOGUES AVEC MONSIEUR POUGET
L'ÉGLISE ET L'ÉVANGILE
JÉSUS
PORTRAIT DE MARTHE ROBIN
VERS L'UNITÉ DANS L'AMOUR

JEAN GUITTON
de l'Académie Française

GRICHKA
BOGDANOV

IGOR
BOGDANOV

DIEU
ET LA SCIENCE

— *vers le métaréalisme* —

BERNARD GRASSET
PARIS

Un peu de science éloigne de Dieu,
mais beaucoup y ramène.

Louis Pasteur

SOMMAIRE

AVANT-PROPOS

Ce livre est né d'une série d'entretiens et, au-delà, d'une rencontre *avec celui que la tradition philosophique tient pour le dernier grand penseur chrétien : Jean Guitton.*

On trouvera donc ici une sorte de « Philosophie à haute voix », comme elle se pratiquait autrefois, dans d'autres cultures, chez les Grecs ou au Moyen Âge. Tout naturellement, nous en sommes venus à ces questions simples et essentielles : d'où vient l'univers ? qu'est-ce que le réel ? la notion de monde matériel a-t-elle un sens ? pourquoi y a-t-il quelque chose plutôt que rien ?

On aura beau chercher, il n'y a que trois voies offertes à ces questions et aux éventuelles réponses qu'elles suscitent : celles de la religion, de la philosophie et de la science. Jusqu'ici, seules la religion et la philosophie, chacune à sa manière, ont tenté d'apporter des réponses aux hommes.

Mais dans un monde de plus en plus occupé *par la science et les modèles de pensée qu'elle produit, par la technologie et les modes de vie qu'elle entraîne, le discours philosophique a perdu son ancienne force de vérité; menacé par les sciences humaines, impuissant à produire des systèmes idéologiques qui en feraient au moins un guide politique, le philosophe semble sur le point de perdre son dernier privilège : celui de* penser.

Reste la religion. Mais là encore, il semble que les savoirs issus de la science s'opposent de plus en plus à l'ordre profond des certitudes inscrites dans le sacré : Dieu et la science paraissent appartenir à des mondes si différents l'un de l'autre que personne ne songerait même à prendre le risque de les rapprocher.

Pourtant, certains signes avant-coureurs nous disent que le moment est venu d'ouvrir des voies nouvelles à travers le savoir profond, de chercher au-delà des apparences mécanistes de la science la trace presque métaphysique de quelque chose d'autre, *à la fois proche et étrange, puissant et mystérieux, scientifique et inexplicable : quelque chose comme Dieu, peut-être.*

C'est cela *que nous avons cherché dans ce livre. En raison des déplacements qu'ont subis la philosophie et la religion sous la poussée formidable de la science, il était impossible de tenter une* description du réel *sans faire appel aux idées les plus récentes de la physique moderne ; et peu à peu, nous avons été conduits vers un* autre monde, *étrange et fascinant, où la plupart de nos certitudes sur le temps, l'espace et la matière n'étaient plus que des illusions parfaites, sans doute plus faciles à saisir que la réalité elle-même.*

Avec nous, le lecteur ne pourra que s'interroger

sur les conséquences à peine concevables d'une des plus grandes découvertes de la physique moderne : le monde « objectif » ne semble pas exister en dehors de la conscience qui en détermine les propriétés. Ce faisant, l'univers qui nous entoure devient de moins en moins matériel : il n'est plus comparable à une immense machine, mais plutôt à une vaste pensée.

Dès lors, si l'hypothèse de l'univers-machine de Laplace-Einstein s'effondre, dans son sillage, c'est le grand ensemble des modèles matérialistes et réalistes qui, progressivement, bascule et s'efface. Mais au profit de quoi ?

A observer d'un peu près l'histoire des idées, on y verra se côtoyer — et parfois se heurter durement — deux courants opposés, deux camps conceptuels adverses : le spiritualisme et le matérialisme. Selon le protocole spiritualiste, tel qu'il émerge pour la première fois avec saint Thomas d'Aquin — puis graduellement affiné par Leibniz ou Bergson —, le réel est une idée pure *et n'a donc, au sens strict, aucun substrat matériel : nous ne pouvons tenir pour assurée que la seule existence de nos pensées et de nos perceptions.*

Au contraire, la lecture matérialiste du réel impose un parti rigoureusement inverse : de Démocrite à Karl Marx, l'esprit, le domaine de la pensée ne sont que des épiphénomènes de la matière, en dehors de laquelle rien n'existe.

Ces deux doctrines sur la nature de l'Être sont à compléter par les théories de la connaissance qui leur correspondent : l'idéalisme et le réalisme. Peut-on connaître le réel ? Impossible, répondra l'idéa-

liste : nous ne pouvons accéder qu'aux phénomènes, aux représentations dispersées autour de l'Être. A cela, le réaliste opposera le contraire : pour lui, le monde est connaissable puisqu'il repose sur des mécanismes et des rouages certes compliqués, mais rationnels, calculables.

Or, nous sommes à l'orée d'une révolution de pensée, d'une rupture épistémologique telle que la philosophie n'en a pas connu depuis plusieurs siècles. Il nous paraît qu'au travers de la voie conceptuelle ouverte par la théorie quantique, émerge une nouvelle représentation du monde, radicalement autre, qui prend appui sur les deux courants antérieurs pour les dépasser, en faire la synthèse. Nous situons cette conception naissante en deçà du spiritualisme, mais bien au-delà du matérialisme.

En quoi s'agit-il d'une pensée nouvelle ? En ce qu'elle efface les frontières entre l'esprit et la matière. Aussi avons-nous décidé de lui donner ce nom : le métaréalisme.

L'émergence de ce nouveau point de vue philosophique doit-elle surprendre ? Pas vraiment, si l'on insiste sur le fait qu'il se loge lui-même au sein d'un déplacement épistémologique de grande ampleur, pressenti par nombre de penseurs, en particulier par Michel Foucault.

Celui-ci a décrit les variations du savoir — et donc des modes de pensée — de la Renaissance à nos jours, découpant deux grands « moments » dans l'histoire : après avoir été analogique, essentiellement occupée à établir des relations entre diverses *classes d'objets ou de phénomènes, la pensée gagne une dimension nouvelle vers la fin du* XVIIe *siècle pour appréhender les phénomènes dans ce qu'ils ont de quantifiable, de mécanique et de calculable : c'est le règne de la pensée logique.*

Où en sommes-nous à la fin du XXe *siècle ? C'est du savoir scientifique qu'est en train d'émerger, contre le sens commun et sans la collaboration des philosophes, une tout autre conception du monde, une vision de l'univers qui entre en conflit violent avec la raison ordinaire, tant ses conséquences sont stupéfiantes, inassimilables.*

Ce nouvel espace de savoir, au sein duquel s'organise peu à peu une pensée révolutionnaire, de type métaréaliste, n'est-il pas situé, de facto, au-delà de la logique classique ? Ne sommes-nous pas déjà en train de faire l'apprentissage d'un mode de pensée métalogique ?

Le déplacement est d'importance : alors que le champ de la pensée logique se limite à l'analyse systématique des phénomènes inconnus — mais, en fin de compte, connaissables —, *la pensée métalogique, quant à elle, franchit l'ultime frontière qui la sépare de* l'inconnaissable : *elle se situe au-delà des langages, au-delà même des catégories de l'entendement : sans rien perdre de sa rigueur, elle touche au mystère et s'efforce de le décrire. Des exemples ? l'indécidabilité en mathématiques (qui démontre qu'il est impossible de prouver que telle proposition est vraie ou fausse), ou la complémentarité en physique (qui énonce que les particules ou, plus justement, les phénomènes élémentaires sont* à la fois *corpusculaires et ondulatoires).*

Le premier acte d'une pensée métalogique, le plus décisif, consistera donc à admettre qu'il existe des limites physiques *à la connaissance : un réseau de frontières, de proche en proche identifiées, souvent calculées, frontières qui bordent la réalité et qu'il est impossible, absolument, de franchir. Un cas particulièrement significatif d'une telle barrière physique a été mis en évidence, au mois de décembre 1900, par le physicien allemand Max Planck. Il s'agit du « quantum d'action », plus connu sous le nom de « Constante de Planck ».*

D'une petitesse extrême (sa valeur est de 6,626. 10^{-34} joule par seconde), celle-ci représente la plus petite quantité d'énergie existant dans notre monde physique. Arrêtons-nous un instant sur ce fait qui est à la fois source de mystère et d'émerveillement : la plus petite « action mécanique concevable ». Nous voici face à un mur dimensionnel : la constante de Planck marque la limite et la divisibilité du rayonnement et, par là, la limite extrême de toute divisibilité.

L'existence d'une borne inférieure dans le domaine de l'action physique a naturellement pour effet d'introduire d'autres frontières absolues autour de l'univers perceptible ; on se heurtera, entre autres, à une longueur ultime — appelée « Longueur de Planck » — qui représente le plus petit intervalle possible entre deux objets apparemment séparés. De même, le Temps de Planck désigne la plus petite unité de temps possible.

Cela nous pose une question troublante : pourquoi *ces frontières existent-elles ? par quel mystère sont-elles apparues sous cette forme si précise et, qui plus est,* calculable ? *Qui — ou quoi — a décidé de leur existence et de leur valeur ? Et enfin : qu'y a-t-il au-delà ?*

Si l'on accepte d'entrer dans la pensée métalogique, si l'on ne cède en rien devant l'inconnaissable, si l'on admet que cet inconnaissable est au cœur même de la démarche scientifique moderne, on comprendra pourquoi les découvertes les plus récentes de la physique nouvelle rejoignent alors la sphère de l'intuition métaphysique. Au passage, on saisira mieux en quel sens Einstein — dernier des physiciens classiques, persuadé que l'univers, la réalité étaient connaissables — s'est trompé ; aujourd'hui, sur les frontières étranges et mouvantes établies par la théorie quantique, les physiciens font tous, sans exception, l'expérience de cet agnosticisme d'un genre nouveau : la réalité n'est pas connaissable : *elle est voilée, et destinée à le rester. Accepter cette conclusion, c'est découvrir qu'il existe une solution de rechange à l'*étrangeté physique : *l'étrangeté logique.*

Une logique de l'étrange ? Il n'en fallait pas moins pour fonder cet édifice conceptuel nouveau, le plus puissant mais aussi le plus déroutant de notre siècle : La théorie quantique. Avec elle, les interprétations de l'univers, conformes au bon sens, que sont l'objectivité et le déterminisme ne peuvent être maintenues. Que devrons-nous admettre à la place ? Que la réalité « en soi » n'existe pas. Quelle dépend de la façon dont nous décidons de l'observer. Que les entités élémentaires qui la composent peuvent être une chose (une onde) et en même temps *une autre (une particule). Et que de toute façon, cette réalité est, en profondeur, indéterminée. Bien que forte de plusieurs siècles de théories physiques et d'expériences, la vision matérialiste du monde s'efface sous nos yeux : nous devons nous préparer à pénétrer dans un monde totalement inconnu.*

Une autre émergence de cette étrangeté logique ? L'existence d'un ordre *au sein du chaos. Qu'y a-t-il de commun entre une colone de fumée, un éclair dans le ciel, un drapeau qui claque au vent ou de l'eau qui coule d'un robinet ? Ces phénomènes sont en fait chaotiques, c'est-à-dire désordonnés. Cependant, en les examinant à la lumière de cette approche neuve qu'est la théorie du chaos, l'on découvrira que des événements en apparence désorganisés, imprévisibles, recèlent un ordre aussi surprenant que profond. Comment expliquer l'existence d'un tel ordre au cœur du chaos ? Plus exactement : dans un univers soumis à l'entropie, irrésistiblement entraîné vers un désordre croissant, pourquoi et comment l'ordre apparaît-il ?*

Ce livre ne se limite donc pas à une exploration, somme toute classique, des mystères de l'esprit et de la matière ; il ne se contente pas non plus d'offrir au lecteur une approche saisissante de la croyance et de la religion : il s'ouvre sur une nouvelle cosmologie, une manière profondément autre de penser la réalité elle-même : *derrière l'ordre évanescent des phénomènes, au-delà des apparences, la physique quantique touche de façon surprenante à la Transcendance.*

En somme, cette première rencontre explicite entre Dieu et la science, ce travail situé, inscrit, *dans le monde étrange de la physique avancée, recueille, peut-être aussi, l'élan d'une nouvelle métaphysique : n'existe-t-il pas, aujourd'hui, une sorte de* convergence *entre le travail du physicien et celui du philosophe ? ne posent-ils pas, l'un et l'autre, les mêmes questions essentielles ? Chaque année apporte une moisson de remaniements théoriques sur ces lignes frontalières qui bordent notre réalité : l'infiniment petit et l'infiniment grand. La théorie quantique comme la cosmologie font reculer toujours plus loin les bornes du savoir, jusqu'à frôler l'énigme la plus fondamentale qui fait face à l'esprit humain : l'existence d'un Être transcendant, à la fois cause et signification du grand univers.*

Et en fin de compte, ne trouve-t-on pas dans la théorie scientifique la même chose que dans la croyance religieuse ? Dieu lui-même n'est-il pas, désormais, sensible, repérable, presque visible, *dans le fond ultime du réel que décrit le physicien ?*

AVERTISSEMENT

Je suis né dans la première année du XXe siècle. Ayant atteint cet âge où les souvenirs se *détachent* du temps personnel pour prendre leur place dans de grands courants historiques, je sens que j'ai traversé un siècle sans équivalent dans l'histoire de l'espèce pensante sur cette planète : siècle de ruptures irréversibles, de renouvellements imprévisibles. Avec les dernières années du millénaire, une longue époque s'achève : nous entrons, en aveugles, dans un temps *métaphysique*. Nul n'ose le dire : on fait toujours silence sur l'essentiel, qui est insupportable.

Mais une grande espérance se lève pour ceux qui pensent. Et nous désirons faire voir, dans nos dialogues, que le moment approche d'une réconciliation fatale entre les savants et les philosophes, entre la science et la foi. Plusieurs maîtres de pensée, animés d'un esprit prophétique, avaient annoncé cette aurore : Bergson, Teilhard de Chardin, Einstein, Broglie, tant d'autres.

Igor et Grichka Bogdanov ont choisi cette voie à leur tour : ils m'ont demandé de dialoguer avec eux sur le rapport nouveau de l'Esprit avec la matière, sur la présence de l'Esprit au sein de la matière. Leur projet est de substituer au « matérialisme » et au « déterminisme » qui inspiraient les maîtres du XIXe siècle ce qu'ils osent nommer un *métaréalisme :* une nouvelle vision du monde qui leur paraît devoir s'imposer, de proche en proche, aux hommes du XXIe siècle.

Je n'ai pu refuser leur requête. J'ai accepté de dialoguer avec eux. Et je me suis souvenu d'un autre dialogue, plus secret : ma rencontre avec le philosophe allemand Heidegger, qui a exercé une si grande influence sur ce temps. Heidegger, qui parlait par symboles, m'avait montré sur sa table de travail, à côté de l'image de sa mère, un vase effilé, transparent, d'où émergeait une rose. A ses yeux, cette rose exprimait le mystère de l'étant, l'énigme de *l'Être.*

Aucune parole ne pouvait dire ce que disait cette rose : *elle était là,* simple, pure, sereine, silencieuse, sûre d'elle-même, en un mot : *naturelle,* comme une chose entre les choses, exprimant la présence de l'esprit invisible sous la matière trop visible.

*
**

Tout au long de ma vie, ma pensée a été occupée par un problème qui se pose à tous : le sens de la vie et de la mort. C'est, au fond, la seule question à laquelle se heurte l'animal pensant depuis l'origine : l'animal pensant est le seul qui enterre ses morts, le seul qui pense à la mort, qui *pense* sa mort. Et pour éclairer sa voie dans les ténèbres, pour s'adapter à la mort, cet animal si bien adapté à la vie n'a que deux lumières : l'une s'appelle la *religion*, l'autre se nomme la *science.*

Au siècle dernier — et aux yeux de la plupart des esprits éclairés —, la science et la religion étaient *contraires* l'une à l'autre ; la science réfutait la religion dans chacune de ses découvertes ; quant à la religion, elle interdisait à la science de s'occuper de la Cause Première ou d'interpréter la parole biblique.

Or depuis peu, nous commençons à vivre — sans le savoir encore — l'immense changement imposé à notre raison, notre pensée, notre philosophie, par le travail invisible des physiciens, les théoriciens du monde, *ceux qui pensent le réel.*

Ce que je veux montrer avec les frères Bogdanov, en prenant appui sur la part scientifique de leur savoir, c'est qu'en cette fin de millénaire les nouveaux progrès des sciences permettent d'entrevoir une alliance possible, une *convergence* encore obscure entre les savoirs physiciens et la connaissance théologique, entre la science et le mystère suprême.

***

Qu'est-ce que la réalité ? d'où vient-elle ? repose-t-elle sur un *ordre*, une intelligence sous-jacente ?

Je garde en mémoire ce que les frères Bogdanov m'ont montré : l'immense différence entre la matière ancienne et la matière nouvelle.

Mes interlocuteurs savants en science m'ont d'abord rappelé qu'avant 1900 l'idée qu'on se faisait de la matière était simple : si je brisais un caillou, j'obtenais une poussière ; dans cette poussière, des molécules composées d'atomes, sortes de « billes » de matière supposées indivisibles.

Mais y a-t-il dans tout cela une place pour l'esprit ? où se trouve-t-il ? nulle part.

Dans cet univers-là, mélange de certitudes et d'idées absolues, la science ne pouvait s'adresser qu'à la matière. Sur son chemin, elle conduisait même vers une sorte d'*athéisme virtuel :*

une frontière « naturelle » s'élevait entre l'esprit et la matière, entre Dieu et la science, sans que personne ose — ou même imagine — la remettre en question.

*
**

Or, nous voici au début des années 1900. La théorie quantique nous dit que pour comprendre le réel, il faut renoncer à la notion traditionnelle de matière : matière tangible, concrète, solide. Que l'espace et le temps sont des illusions. Qu'une particule peut être détectée en deux endroits en même temps. Que la réalité n'est pas connaissable.

Nous sommes liés au réel de ces entités quantiques qui transcendent les catégories du temps et de l'espace ordinaires. Nous existons au travers de « quelque chose » dont nous avons bien du mal à saisir la nature et les étonnantes propriétés, mais qui se rapproche plus de l'esprit que de la matière traditionnelle.

*
**

Peu avant sa mort, Bergson a légué son « testament de pensée » à quatre philosophes :

Gabriel Marcel, Jacques Maritain, Vladimir Jankélévitch, et moi-même. Je serai donc le messager de son intuition : Bergson avait pressenti, plus que tout autre, les grands changements conceptuels induits par la théorie quantique. A ses yeux — tout comme dans la physique quantique —, la réalité n'est ni causale ni locale : l'espace et le temps y sont des abstractions, de pures illusions.

Les conséquences de ce remaniement dépassent de loin tout ce que nous sommes aujourd'hui en mesure de rapporter à notre expérience ou même à notre intuition. Peu à peu, nous commençons à comprendre que le réel est voilé, inaccessible, que nous en percevons à peine l'ombre portée, sous la forme provisoirement convaincante d'un mirage. Mais qu'y a-t-il donc *sous* le voile ?

Face à cette énigme, il n'existe que deux attitudes : l'une nous conduit vers l'absurde, l'autre vers le mystère : le choix ultime entre l'une ou l'autre est, au sens philosophique, la plus haute de mes décisions.

***

J'ai toujours regardé vers le mystère : celui de la réalité elle-même. *Pourquoi* y a-t-il de l'Être ? Pour la première fois, des réponses émergent à l'horizon des savoirs. On ne peut ignorer davantage ces lueurs nouvelles, ni rester indifférents aux élargissements de conscience qu'elles entraînent : désormais, il existe non pas une preuve — Dieu n'est pas de l'ordre de la démonstration —, mais un point d'appui scientifique aux conceptions proposées par la religion.

Et c'est maintenant, à l'approche de ce monde inconnu et *ouvert*, qu'un véritable dialogue entre Dieu et la science peut commencer enfin.

Jean GUITTON

Pourquoi y a-t-il quelque chose plutôt que rien ? Pourquoi l'univers est-il apparu ? Aucune loi physique déduite de l'observation ne permet de répondre à ces questions. Pourtant, ces mêmes lois nous autorisent à décrire de façon précise ce qui s'est passé au début : 10^{-43} seconde après le big bang, un laps de temps d'une petitesse inimaginable, puisque le chiffre 1 est précédé de 43 zéros. A cette échelle, un flash photographique occuperait 1 milliard de milliards de milliards de fois plus de temps dans l'histoire entière de l'univers que 10^{-43} seconde n'occuperait dans une seule seconde.

Dans les pages qui suivent, nous nous efforcerons de décrire comment l'infiniment petit a accouché de l'infiniment grand, comment l'univers tout entier, avec ses centaines de milliards de galaxies, a jailli d'un « vide » microcosmique.

Sans oublier, bien sûr, que parler de la création de l'univers nous conduira vers la question inévitable : quelle est donc l'origine de l'immense tapisserie cosmique qui s'étend aujourd'hui, dans un mystère presque total, vers les deux infinis ?

LE BIG BANG

JEAN GUITTON. — Avant d'entrer dans ce livre, j'ai envie de poser la première question qui me vient à l'esprit : la plus obsédante, la plus vertigineuse de toute la recherche philosophique : Pourquoi y a-t-il *quelque chose* plutôt que rien ? Pourquoi y a-t-il de l'Être ? ce « je-ne-sais-quoi » qui nous sépare du néant ? Que s'est-il passé, au début des temps, pour donner naissance à tout ce qui existe aujourd'hui ? à ces arbres, ces fleurs, ces passants qui marchent dans la rue, *comme si de rien n'était ?* Quelle force a doté l'univers des formes qu'il revêt aujourd'hui ?

Ces questions sont la *matière première* de ma vie de philosophe ; elles conduisent ma pensée et fondent toute ma recherche : où que j'aille, *elles sont là*, à portée de l'esprit, étranges et familières, bien connues et cependant inséparables du mystère qui les a fait naître. Nul besoin de grandes décisions : on pense à ces choses-là aussi simplement qu'on respire. Les objets les plus familiers peuvent vous conduire vers les plus troublantes énigmes. Par exemple, cette clé en fer, là, devant moi, posée sur mon bureau : si je pouvais refaire l'histoire des atomes qui la composent, jusqu'où me faudrait-il remonter ? et qu'est-ce que je trouverais alors ?

IGOR BOGDANOV. — Comme n'importe quel objet, cette clé a une histoire invisible à laquelle on ne pense jamais. Il y a une centaine d'années elle était enfouie, sous la forme d'un minerai brut, au cœur d'une roche. Avant qu'on le déterre d'un coup de pioche, le bloc de fer qui a donné naissance à cette clé était là, prisonnier de la pierre aveugle, depuis des milliards d'années.

J. G. — Le métal de ma clé est donc aussi ancien que la Terre elle-même dont l'âge est évalué, aujourd'hui, à quatre milliards et demi d'années. Mais cela signifie-t-il la fin de notre recherche ? J'ai l'intuition que non. Il est sûrement possible de remonter encore plus loin dans le passé pour trouver l'origine de cette clé.

GRICHKA BOGDANOV. — Le noyau du fer est l'élément le plus stable de l'univers. Nous pouvons poursuivre notre voyage dans le passé jusqu'à cette époque où la Terre et le Soleil n'existaient pas encore. Pourtant, le métal de votre clé était déjà là, flottant dans l'espace interstellaire, sous la forme d'un nuage qui contenait quantités d'éléments lourds nécessaires à la formation de notre système solaire.

J. G. — Je cède ici à cette curiosité qui fonde la vraie passion du philosophe : admettons que, huit ou dix milliards d'années avant d'être dans mes mains, cette clé existait sous la forme d'atomes de fer perdus dans un nuage de matière naissante. D'où venait donc ce nuage ?

I. B. — D'une étoile. Un soleil qui existait avant le nôtre et qui a explosé, il y a dix ou douze milliards d'années. A cette époque, l'univers est essentiellement constitué d'immenses nuages d'hydrogène qui se condensent, se réchauffent, et finissent par s'allumer en formant les premières étoiles géantes. Celles-ci sont un peu comparables à de gigantesques fours destinés à fabriquer les noyaux d'éléments lourds nécessaires à l'ascension de la matière vers la complexité. A la fin de leur vie relativement brève — quelques centaines de millions d'années à peine —, ces étoiles géantes explosent en projetant dans l'espace interstellaire les matériaux qui serviront à fabriquer d'autres étoiles plus petites, appelées étoiles de seconde génération, ainsi que leurs planètes et les métaux qu'elles contiennent. Votre clé, ainsi que tout ce qui se trouve sur notre planète, n'est que le « résidu » engendré par l'explosion de cette ancienne étoile.

J. G. — Nous y voilà. Une clé toute simple nous projette dans le feu des premières étoiles. Ce petit bout de métal contient toute l'histoire de l'univers, une histoire qui a commencé il y a des milliards d'années, avant la formation du système solaire. Je vois maintenant d'étranges lueurs courir sur ce métal, dont l'existence dépend d'une longue chaîne de causes et d'effets qui s'étend sur une durée impensable, de l'infiniment petit à l'infiniment grand, de l'atome aux étoiles. Le serrurier qui a fabriqué cette clé ne savait pas que la matière qu'il martelait était née dans le tourbillon brûlant d'un nuage d'hydrogène primordial. Tout à coup, je respire plus grand. Et j'ai envie d'aller plus loin. De remonter dans un passé encore plus reculé, bien avant que ne se forment les premières étoiles : peut-on encore dire quelque chose des atomes qui formeront ma fameuse clé ?

G. B. — Cette fois, il nous faut remonter aussi loin que possible, jusqu'à la création de l'univers lui-même. Nous voici quinze milliards d'années dans le passé. Que s'est-il produit à cette époque ? La physique moderne nous dit que l'univers est né d'une gigantesque explosion qui a provoqué l'expansion de la matière encore observable de nos jours. Par exemple les galaxies : ces nuages constitués de centaines de milliards d'étoiles s'éloignent les uns des autres sous la poussée de cette explosion originelle.

J. G. — En somme, il suffit de mesurer la vitesse d'éloignement de ces galaxies pour en déduire le moment primordial où elles se trouvaient rassemblées en un certain point, un peu comme si nous regardions un film à l'envers. En rembobinant le grand film cosmique image par image, nous finirons par découvrir le moment précis où l'univers tout entier avait la taille d'une tête d'épingle. C'est à cet instant, j'imagine, qu'il nous faudra situer les débuts de son histoire.

I. B. — Les astrophysiciens prennent pour point de départ les premiers milliardièmes de seconde qui ont suivi la création. Nous voici donc 10^{-43} seconde *après* l'explosion originelle. A cet âge fantastiquement petit, l'univers tout entier, avec tout ce qu'il contiendra plus tard, les galaxies, les planètes, la Terre, ses arbres, ses fleurs, et la fameuse clé, tout cela est contenu dans une sphère d'une petitesse inimaginable : 10^{-33} centimètre, soit des milliards de milliards de milliards de fois plus petite qu'un noyau d'atome.

G. B. — A titre de comparaison, le diamètre du noyau d'un atome est « seulement » de 10^{-13} centimètre.

I. B. — La densité et la chaleur de cet univers originel atteignent des grandeurs que l'esprit humain ne peut saisir : une température folle de 10^{32} degrés, c'est-à-dire 10 suivi de 32 zéros. Nous sommes ici face au « mur de la température », une frontière de chaleur extrême, au-delà de laquelle notre physique s'effondre. A cette température, l'énergie de l'univers naissant est monstrueuse ; quant à la « matière » — pour autant qu'on puisse donner un sens à ce mot —, elle est constituée d'une « soupe » de particules primitives, ancêtres lointains des quarks, particules qui interagissent continuellement entre elles. Il n'y a encore aucune différence entre ces particules primaires qui interagissent toutes de la même manière : à ce stade, les quatre interactions fondamentales (gravitation, force électromagnétique, force forte et force faible) sont encore indifférenciées, confondues en une seule force universelle.

G. B. — Tout cela dans un univers qui est des milliards de fois plus petit qu'une tête d'épingle !

Cette époque est peut-être la plus folle de toute l'histoire cosmique. Les événements se précipitent à un rythme hallucinant, à tel point qu'il se passe beaucoup plus de choses dans ces milliardièmes de seconde que dans les milliards d'années qui suivront.

J. G. — Un peu comme si cette effervescence des débuts ressemblait à une sorte d'éternité. Car si des êtres conscients avaient pu vivre ces premiers âges du cosmos, ils auraient certainement eu le sentiment qu'un temps immensément long, quasiment éternel, s'écoulait entre chaque événement.

G. B. — Par exemple : un événement que nous percevons aujourd'hui sous la forme d'un flash photographique équivalait, dans cet univers naissant, à la durée de milliards d'années. Pourquoi ? parce qu'à cette époque, la densité extrême des événements implique une distorsion de la durée. Après l'instant originel de la création, il a suffi de quelques milliardièmes de seconde pour que l'univers entre dans une phase extraordinaire que les physiciens appellent « l'Ère Inflationnaire ». Pendant cette époque fabuleusement brève, qui s'étend de 10^{-35} à 10^{-32} seconde, l'univers va s'enfler d'un facteur de 10^{50}. Il va passer de la taille d'un noyau d'atome à celle d'une orange de dix centimètres de diamètre. En d'autres termes, cette expansion vertigineuse est bien plus importante que celle qui va suivre : de l'ère inflationnaire jusqu'à nos jours, le volume de l'univers n'augmentera plus que d'un facteur relativement faible : 10^9, soit à peine un milliard de fois.

I. B. — Il nous faut ici insister sur ce point, difficile à saisir visuellement : l'écart de taille existant entre une particule élémentaire et une orange est bien plus grand, proportionnellement, que celui séparant la dimension d'une orange de celle de l'univers.

G. B. — Nous voici donc face à un univers gros comme une orange : la soupe d'électrons, de quarks, de neutrinos, de photons et de leurs antiparticules qui apparaît au bout de cet instant incroyablement bref de 10^{-32} seconde n'est pas tout à fait uniforme. Si quelqu'un avait pu l'observer à ce moment-là, il aurait vu que cette orange était parcourue de stries, d'irrégularités de toutes sortes ; il aurait constaté que notre cosmos encore minuscule était plus dense à certains endroits.

Or nous devons aujourd'hui notre existence à ces irrégularités de l'origine. Car ces stries microscopiques vont se développer pour donner naissance, bien plus tard, aux galaxies, aux étoiles et aux planètes. En somme la « tapisserie cosmique » des origines va engendrer tout ce que nous connaissons aujourd'hui, en quelques milliardièmes de seconde.

I. B. — Refaisons ensemble le parcours de l'univers. A 10^{-32} seconde, première transition de phase : la force forte (qui assure la cohésion du noyau atomique) se détache de la force électrofaible (résultant de la fusion entre la force électromagnétique et la force de désintégration radioactive). A cette époque, l'univers a déjà grandi dans des proportions phénoménales : il mesure maintenant 300 mètres d'un bout à l'autre. A l'intérieur, c'est le règne des ténèbres absolues et des températures inconcevables.

Le temps passe. A 10^{-11} seconde, la force électrofaible se divise en deux forces distinctes : l'interaction électromagnétique et la force faible. Les photons ne peuvent plus être confondus avec d'autres particules comme les quarks, les gluons et les leptons : les quatre forces fondamentales viennent de naître.

Entre 10^{-11} et 10^{-5} seconde, la différenciation se poursuit. Toutefois, à cette époque, intervient un événement essentiel : les quarks s'associent en neutrons et protons et la plupart des antiparticules disparaissent pour laisser la place aux particules de l'univers actuel.

Lors de la dix millième fraction de seconde, les particules élémentaires sont donc engendrées dans un espace qui vient de s'ordonner. L'univers continue à se dilater et à refroidir. Environ 200 secondes après l'instant originel, les particules élémentaires s'assemblent pour former les isotopes des noyaux d'hydrogène et d'hélium : le monde tel que nous le connaissons se met progressivement en place.

G. B. — L'histoire que nous avons traversée a duré environ trois minutes. A partir de là, les choses vont aller beaucoup plus lentement. Pendant des dizaines de millions d'années, tout l'univers sera baigné de radiations et d'un plasma de gaz tourbillonnant. Vers 100 millions d'années, les premières étoiles se forment dans d'immenses tourbillons de poussières : c'est dans leur cœur, comme nous l'avons déjà vu tout à l'heure, que les atomes d'hydrogène et d'hélium vont fusionner pour donner naissance aux éléments lourds qui vont trouver leur voie sur Terre bien plus tard, des milliards d'années après.

J. G. — On ne peut s'empêcher d'éprouver un vertige d'irréalité devant de tels chiffres, comme si en nous approchant des débuts de l'univers, le temps semblait s'étirer, se dilater, jusqu'à devenir infini. Ceci m'inspire d'ailleurs une première réflexion : ne faut-il pas voir dans ce phénomène une interprétation scientifique de l'éternité divine ? Un Dieu qui n'a pas eu de commencement et qui ne connaîtra pas de fin n'est pas forcément en dehors du temps, comme on l'a trop souvent décrit : *il est le temps lui-même*, à la fois quantifiable et infini, un temps où une seule seconde contient l'éternité tout entière. Je crois précisément qu'un être transcendant accède à une dimension à la fois absolue et relative du temps : c'est même, selon moi, une condition indispensable à la création.

A ce propos, revenons une fois encore aux premiers instants de l'univers : si l'on admet qu'il est possible de décrire très précisément ce qui s'est passé 10^{-43} seconde après la création, que s'est-il donc produit *avant?* La science semble impuissante à décrire ou même à imaginer quoi que ce soit de *raisonnable*, au sens le plus profond du mot, à propos du moment originel, lorsque le temps était encore dans le zéro absolu et que *rien* ne s'était encore passé.

G. B. — En effet, les physiciens n'ont pas la moindre idée de ce qui pourrait expliquer l'apparition de l'univers. Ils peuvent remonter jusqu'à 10^{-43} seconde, mais pas au-delà. Ils se heurtent alors au fameux « Mur de Planck », ainsi nommé parce que le célèbre physicien allemand avait été le premier à signaler que la science était incapable d'expliquer le comportement des atomes dans des conditions où la force de gravité devient extrême. Dans l'univers minuscule du début, la gravité n'a encore aucune planète, aucune étoile ou galaxie sur lesquelles exercer son pouvoir ; pourtant, cette force est déjà là, interférant avec les particules élémentaires qui dépendent des forces électromagnétique et nucléaire. C'est précisément cela qui nous empêche de savoir ce qui s'est passé avant 10^{-43} seconde : la gravité dresse une barrière infranchissable à toute investigation : au-delà du Mur de Planck, c'est le mystère total.

I. B. — *10^{-43} seconde.* C'est le Temps de Planck, selon la belle expression des physiciens. C'est aussi la limite extrême de nos connaissances, la fin de notre voyage vers les origines. Derrière ce mur, se cache encore une réalité inimaginable. Quelque chose que nous ne pourrons peut-être jamais comprendre, un secret que les physiciens n'imaginent même pas dévoiler un jour. Certains d'entre eux ont bien tenté de glisser un regard de l'autre côté de ce mur, mais ils n'ont pu rien dire de vraiment compréhensible sur ce qu'ils ont cru voir. Un jour, j'ai rencontré un de ces physiciens, un de ces aventuriers du savoir. Il affirmait que dans sa jeunesse, ses travaux lui avaient permis de remonter jusqu'au Temps de Planck et de jeter un coup d'œil furtif de l'autre côté du mur. Et pour peu qu'on l'encourageât à parler, il racontait alors qu'il avait vu une réalité vertigineuse où régnait le chaos, où la gravité était si puissante qu'elle avait détruit la structure de l'espace pour lui donner six autres dimensions, où passé, présent et avenir n'avaient plus la moindre signification. Voilà ce que cet homme avait cru deviner, là-bas, derrière le Mur de Planck ; et on avait l'étrange sensation que le vieux savant en parlait comme d'une sorte d'hallucination métaphysique qui l'avait frappé à jamais.

J. G. — Je conçois fort bien un tel ébranlement : les théories les plus récentes concernant les débuts de l'univers font appel, au sens littéral du terme, à des notions d'ordre métaphysique. Un exemple ? la description que fait le physicien John Wheeler de ce « quelque chose » qui a précédé la création de l'univers : « Tout ce que nous connaissons trouve son origine dans un océan infini d'énergie qui a l'apparence du néant. »

G. B. — En effet, d'après la théorie du champ quantique, l'univers physique observable n'est fait de rien d'autre que de fluctuations mineures sur un immense océan d'énergie. Ainsi, les particules élémentaires et l'univers auraient pour origine cet « océan d'énergie » : non seulement l'espace-temps et la matière naissent dans ce plan primordial d'énergie infinie et de flux quantique, mais encore sont-ils animés en permanence par lui. Le physicien David Bohm pense que la matière et la conscience, le temps, l'espace et l'univers ne représentent qu'un « clapotis » infime par rapport à l'activité immense du plan sous-jacent, qui, lui-même, provient d'une source éternellement créatrice située au-delà de l'espace et du temps.

J. G. — Essayons de mieux comprendre : quelle est, d'un point de vue physique, la nature de ce « plan sous-jacent » ? s'agit-il même de quelque chose de physiquement mesurable ?

G. B. — Il existe en physique un concept nouveau qui a fait la preuve de sa richesse opératoire : celui de *vide quantique.* Précisons tout de suite que le vide absolu, caractérisé par une absence totale de matière et d'énergie, n'existe pas : même le vide qui sépare les galaxies n'est pas *totalement* vide : il contient quelques atomes isolés et divers types de rayonnement. Qu'il soit naturel ou artificiellement créé, le vide à l'état pur n'est qu'une abstraction : dans la réalité, on ne parviendra pas à éliminer un champ électromagnétique résiduel qui fait le « fond » du vide. A ce niveau, il est intéressant d'introduire la notion d'équivalence matière/énergie : si nous posons l'existence, au sein du vide, d'une énergie résiduelle, celle-ci peut aussi bien, au cours de ses « fluctuations d'état », se convertir en matière : de nouvelles particules surgiront donc du néant.

Le vide quantique est donc le théâtre d'un incessant ballet de particules, celles-ci apparaissant et disparaissant dans un temps extrêmement bref, inconcevable à échelle humaine.

J. G. — Si l'on admet que la matière peut émerger de ce presque rien qu'est le vide, est-ce que nous ne disposons pas là d'un élément de réponse à la question posée plus haut : d'où vient le big bang ? que s'est-il passé avant 10^{-43} seconde ?

G. B. — La physique quantique démontre que la matière peut émerger du vide à condition qu'une quantité suffisante d'énergie y soit injectée ; par extension, il est donc permis de supposer qu'à l'origine, juste avant le big bang, une masse d'énergie incommensurable a été transférée dans le vide initial, entraînant une fluctuation quantique primordiale d'où allait naître notre univers.

J. G. — Mais alors : d'où vient cette colossale quantité d'énergie à l'origine du big bang ? J'ai l'intuition que ce qui se cache derrière le Mur de Planck est bien une forme d'énergie primordiale, d'une puissance illimitée. Je crois qu'avant la Création règne une durée infinie. Un Temps Total, inépuisable, qui n'a pas encore été *ouvert*, partagé en passé, présent et avenir. A ce temps-là, ce temps qui n'a pas encore été séparé en un ordre symétrique dont le présent ne serait que le double miroir, à ce temps absolu *qui ne passe pas*, correspond la même énergie, totale, inépuisable. L'océan d'énergie illimitée, c'est le Créateur. Si nous ne pouvons pas comprendre ce qui se tient derrière le Mur, c'est bien parce que toutes les lois de la physique perdent pied devant le mystère absolu de Dieu et de la Création.

Pourquoi l'univers a-t-il été créé ? qu'est-ce qui a poussé le Créateur à engendrer l'univers tel que nous le connaissons ? Essayons de comprendre : avant le Temps de Planck, rien n'existe. Ou plutôt : c'est le règne de la Totalité intemporelle, de l'intégrité parfaite, de la symétrie absolue : seul le Principe Originel est là, dans le néant, force infinie, illimitée, sans commencement ni fin. A ce « moment » primordial, cette force hallucinante de puissance et de solitude, d'harmonie et de perfection, n'a peut-être pas l'intention de créer quoi que ce soit. Elle se suffit à elle-même.

Et puis, « quelque chose » va se produire. Quoi ? je ne sais pas. Un soupir de Rien. Peut-être une sorte *d'accident du néant*, une fluctuation du vide : en un instant fantastique, le Créateur, conscient d'être celui qui Est dans la Totalité du néant, va décider de créer un miroir à sa propre existence. La matière, l'univers : reflets de sa conscience, rupture définitive avec la belle harmonie du néant originel : Dieu vient, en quelque sorte, de créer une image de lui-même.

Est-ce comme cela que tout a commencé ? Peut-être que la science ne le dira jamais directement ; mais dans son silence, elle peut servir de guide à nos intuitions.

G. B. — Ce que nous venons de décrire, c'est-à-dire le big bang, repose sur ce que les astrophysiciens, dans leur majorité, admettent aujourd'hui comme le modèle standard. Mais avons-nous des preuves tangibles que les choses se sont réellement déroulées comme cela ? Le big bang a-t-il vraiment eu lieu ? En fait, il existe au moins trois indices majeurs qui nous permettent de penser que oui.

Le premier est l'âge des étoiles : les mesures portant sur les plus anciennes d'entre elles indiquent un âge de douze à quinze milliards d'années, ce qui est cohérent avec la durée de l'univers depuis son apparition supposée.

Le second argument repose sur l'analyse de la lumière émise par les galaxies : celle-ci indique sans ambiguïté que les objets galactiques s'éloignent les uns des autres à une vitesse d'autant plus élevée qu'ils sont lointains ; ceci suggère que les galaxies étaient autrefois rassemblées dans une région unique de l'espace, au sein d'un nuage primordial vieux de quinze milliards d'années.

Reste le troisième phénomène, le plus décisif : en 1965 a été mise en évidence l'existence, dans toutes les régions de l'univers, d'un rayonnement très peu intense, analogue à celui d'un corps à très basse température : 3 degrés au-dessus du zéro absolu. Or ce rayonnement uniforme n'est autre qu'une sorte de fossile, l'écho fantomatique des torrents de chaleur et de lumière des premiers instants de l'univers.

J. G. — Au travers de ce voyage au bout de la physique, j'ai la certitude indéfinissable d'avoir frôlé le bord métaphysique du réel, comme si quelque chose de ma conscience était tout à coup sensible au halo invisible qui nous entoure, à une sorte d'ordre supérieur qui est l'origine de tout.

I. B. — Il semble à peu près certain que la soupe primordiale, le mélange matière/rayonnement du début des temps, contenait au premier centième de seconde des protons et des neutrons en interaction constante. Ces premières interactions auraient créé l'asymétrie matière-antimatière de l'univers, manifestée aujourd'hui par l'instabilité du proton.

En revanche, si nous remontons plus loin vers l'origine, par exemple au premier milliardième de milliardième de seconde, ces particules n'existaient pas encore. En somme, la matière n'est que le *fossile* d'un âge plus reculé où régnait une symétrie parfaite entre les formes d'interaction. Car vers le Temps de Planck, lorsque la température était à son maximum, la soupe primordiale devait être constituée de particules plus fondamentales, comme les quarks et les gluons, qui s'échangeaient indifféremment les unes les autres. Et ce qui est extraordinaire, c'est qu'au tout premier instant de la Création, dans cet univers des très hautes énergies où il n'existait pas encore d'interactions différenciées, l'univers avait une symétrie parfaite. En somme, le cosmos tel que nous le connaissons aujourd'hui, avec tout ce qu'il contient, des étoiles jusqu'à votre clé, sur cette table, n'est que le vestige asymétrique d'un univers qui était, jadis, parfaitement symétrique. L'énergie de la boule de feu primordiale était tellement élevée que les quatre interactions, la gravité, la force électromagnétique, la force nucléaire forte et la force de désintégration, étaient alors unifiées en une seule interaction d'une symétrie parfaite. Puis cette boule de feu composée de quarks, d'électrons et de photons a connu la phase d'expansion, l'univers s'est refroidi et la symétrie parfaite a commencé à se défaire.

J. G. — Ceci me rappelle une belle intuition de Bergson. Il disait que la Création était « un geste qui retombe », autrement dit, la trace d'un événement qui se défait. Et je crois que bien avant les physiciens, Bergson a saisi quelque chose du mystère de la Création : il a compris que le monde que nous connaissons aujourd'hui est l'expression d'une symétrie brisée. Et si Bergson était encore parmi nous, je suis sûr que les dernières conquêtes de la physique lui feraient ajouter que c'est de cette imperfection même que la vie a pu surgir.

Quant à moi, je voudrais insister quelques instants encore sur la perfection des origines, sur cette *symétrie absolue* qui régnait au moment de la Création. Je crois que le plus grand message de la physique théorique des dix dernières années tient au fait qu'elle a su déceler la *perfection* à l'origine de l'univers : un océan d'énergie infinie. Et ce que les physiciens désignent sous le nom de symétrie parfaite a pour moi un autre nom : énigmatique, infiniment mystérieux, tout-puissant, originel, créateur et parfait. Je n'ose le nommer, car tout nom est imparfait pour désigner l'Être sans ressemblance.

Un milliard d'années se sont écoulées depuis la naissance du Soleil. La Terre s'est considérablement refroidie. Au milieu des océans de lave en fusion, on voit maintenant se dessiner une masse grise qui formera, bien plus tard, le premier continent. En même temps qu'elle se solidifie, cette lave exhale les énormes quantités de gaz qu'elle contient : une atmosphère cent fois plus épaisse que celle d'aujourd'hui enveloppe la Terre : mélange d'hydrogène, de méthane, d'ammoniac, d'eau et de gaz carbonique, cette atmosphère des premiers âges est celle d'un monde étranger et hostile à toute forme de vie.

Pourtant, alors que le refroidissement se poursuit, l'eau de cette atmosphère empoisonnée se condense et des pluies torrentielles commencent à tomber. Des océans finissent par se former jusqu'à recouvrir les trois quarts de la surface de la jeune planète.

Soumises au formidable rayonnement ultraviolet du Soleil, brassées par les décharges électriques et les éclairs fulgurants des orages monstrueux qui se déchaînent en permanence, les molécules simples de l'atmosphère primitive vont alors entrer dans un cycle effréné de combinaisons : les premières substances « organiques » prennent forme. Vingt espèces d'acides aminés, chacun constitué d'une trentaine d'atomes, peuplent alors la Terre.

Ainsi, grâce à l'alchimie créatrice des étoiles et à l'existence des planètes, après une très longue et mystérieuse ascension vers la complexité, la vie et la conscience vont émerger de la matière...

Mais combien reste troublante cette question, posée un jour par un physicien : « Comment un flux d'énergie qui s'écoule sans but peut-il répandre la vie et la conscience dans le monde ? »

LE MYSTÈRE DU VIVANT

J. G. — Souvent le soir, avant de m'endormir, je remonte vers l'aube lointaine qui éclairait ma jeunesse, autour des années 1900. Dans la clairière de ma mémoire, je retrouve des images d'un autre âge : une voiture à cheval, dont les grandes roues cerclées de fer tassent les pavés ; une jeune fille en robe longue, qui dort tranquillement à l'ombre d'un marronnier ; un vieux monsieur qui ramasse son chapeau haut de forme renversé par un coup de vent : les images de la vie.

Mais la vie, *qu'est-ce que c'est ?*

La question que je veux ici me poser, celle que je ne puis éviter, c'est de savoir par quel « miracle » cette vie est apparue. Nous venons de voir que, derrière la naissance de l'univers, il y avait *quelque chose,* comme une force organisatrice qui semble avoir tout calculé, tout élaboré avec une minutie inimaginable. Mais je veux en savoir plus : qu'y a-t-il derrière la vie ? Celle-ci est-elle apparue *au hasard* ou, tout au contraire, est-elle le fruit d'une secrète nécessité ?

G. B. — Avant de remonter aux origines de la vie, commençons par mieux la comprendre telle qu'elle existe aujourd'hui.

Devant moi, sur le rebord de cette fenêtre, il y a un papillon, posé près d'un petit caillou. L'un est vivant, l'autre ne l'est pas, mais quelle est au juste la différence entre les deux ? Si nous nous plaçons au niveau nucléaire c'est-à-dire à l'échelle des particules élémentaires, caillou et papillon sont rigoureusement identiques. Un palier au-dessus, au niveau atomique, quelques différences se manifestent, mais elles ne concernent que la nature des atomes et restent donc faibles.

Franchissons encore un stade. Nous voici au royaume des molécules. Cette fois, les différences sont beaucoup plus importantes et concernent les écarts de matière entre le monde minéral et le monde organique. Mais le saut décisif est franchi au niveau des macro-molécules. A ce stade, le papillon semble infiniment plus structuré, plus *ordonné* que le caillou.

Ce petit exemple nous a permis de saisir la seule différence de fond entre l'inerte et le vivant : l'un est tout simplement plus riche en information que l'autre.

J. G. — Admettons. Mais si la vie n'est autre que de la matière mieux informée d'où vient cette information ? Je suis frappé par le fait qu'aujourd'hui encore, nombreux sont les biologistes et les philosophes qui pensent que les premières créatures vivantes sont nées « par hasard » dans les vagues et les ressacs de l'océan primitif, voilà quatre millards d'années.

Certes, les lois de l'évolution énoncées par Darwin existent et elles font une large part à l'aléatoire ; mais *qui* a décidé de ces lois ? Par quel « hasard » certains atomes se sont-ils rapprochés pour former les premières molécules d'acides aminés ? Et par quel hasard, toujours, ces molécules se sont-elles assemblées pour conduire à cet édifice effroyablement complexe qu'est l'ADN ? Tout comme le biologiste François Jacob, je pose cette simple question : *qui* a élaboré les plans de la première molécule d'ADN porteuse du message initial qui va permettre à la première cellule vivante de se reproduire ?

Ces questions — et une foule d'autres — restent sans réponse si l'on s'en tient aux seules hypothèses faisant intervenir le hasard ; c'est pourquoi, depuis quelques années, les idées des biologistes ont commencé à changer. Les chercheurs les plus en pointe ne se contentent plus de déclamer les lois de Darwin sans réfléchir ; ils bâtissent des théories nouvelles, souvent très surprenantes. Des hypothèses qui s'appuient clairement sur l'intervention d'un principe organisateur, transcendant à la matière.

I. B. — Selon ces nouvelles approches qui ébranlent chaque jour davantage le dogme du « hasard créateur », la vie est une propriété émergente de la matière, un phénomène obéissant à une sorte de *nécessité* inscrite au cœur même de l'inanimé...

J. G. — Ceci est d'autant plus frappant qu'à l'échelle cosmique, la vie doit se frayer un chemin difficile, semé de mille obstacles, avant d'émerger enfin. Par exemple, l'espace vide est si froid que toute créature vivante, même la plus simple, y serait instantanément congelée parce que la température y descend à moins 273 degrés. A l'autre extrémité, la matière des étoiles est si brûlante qu'aucun être vivant ne pourrait y résister. Enfin, il y a dans l'univers des radiations et des bombardements cosmiques perpétuels, qui interdisent presque partout la manifestation du vivant. En somme, l'univers, c'est la Sibérie, c'est le Sahara, c'est Verdun. Je veux dire que c'est l'infini du froid, l'infini du chaud, la multiplicité des bombardements. Or, en dépit de tout cela, la vie est tout de même apparue, au moins sur notre planète.

Par suite, le problème qui se pose aux scientifiques et aux philosophes, c'est de savoir si entre la matière et la vie, il existe un passage continu.

De nos jours, la science travaille à cette jointure de l'inerte et du vivant : elle tend à montrer qu'il existe une zone de continuité ; autrement dit, le vivant résulte d'une promotion nécessaire de la matière.

Encore un mot : il semble que la vie soit irrésistiblement appelée à gravir une échelle ascendante ; à partir des formes les plus voisines de la matière (comme les ultravirus) jusqu'aux formes les plus élevées, il y a une élévation, dans l'évolution : l'aventure de la vie est *ordonnée* par un principe organisateur.

I. B. — Regardons de plus près en quoi peut consister un tel principe. Pour cela, nous allons prendre appui sur les travaux de l'un des plus grands biochimistes actuels, le prix Nobel de Chimie Ilya Prigogine.

A l'origine de ses recherches se trouve une idée toute simple : le désordre n'est pas un état « naturel » de la matière mais, au contraire un stade précédant l'émergence d'un ordre plus élevé.

J. G. — Cette conception — qui allait nettement à l'encontre des idées reçues — a tout d'abord suscité l'hostilité des milieux scientifiques ; je crois qu'on a même tenté d'empêcher Prigogine de poursuivre ses travaux.

I. B. — C'est exact, mais rien n'a réussi à ébranler sa conviction : des lois inconnues devaient expliquer *comment* l'univers et la vie étaient nés du chaos primordial.

G. B. — Une remarque importante : cette conviction n'était pas seulement théorique mais reposait également sur le résultat d'une expérience extrêmement troublante.

J. G. — Laquelle ?

G. B. — L'expérience de Bénard. Celle-ci est toute simple : prenons un liquide, par exemple de l'eau. Faisons-la chauffer dans un récipient : que constatons-nous ? Que les molécules du liquide s'organisent, se regroupent d'une manière ordonnée pour former des cellules hexagonales, un peu semblables aux éléments d'un vitrail. Ce phénomène plutôt inattendu, connu sous le nom d'instabilité de Bénard, intrigua beaucoup Prigogine. Pourquoi et comment ces « cellules » apparaissaient-elles dans l'eau ? Qu'est-ce qui pouvait provoquer la naissance d'une structure ordonnée au sein du chaos ?

J. G. — Je suis tenté d'établir une analogie entre la formation de ces structures minérales et l'émergence des premières cellules vivantes. N'y aurait-il pas, à l'origine de la vie, au sein du bouillon primitif, un phénomène d'autostructuration comparable à celui qu'on observe dans l'eau chauffée ?

G. B. — C'est la conclusion à laquelle est parvenu Prigogine : ce qui est possible dans la dynamique des liquides doit également l'être en chimie et en biologie.

Mais pour mieux comprendre son raisonnement, il faut en reconstituer les principales étapes. Tout d'abord, force est de constater que les choses qui se trouvent autour de nous se comportent comme des systèmes *ouverts*, c'est-à-dire qu'ils échangent perpétuellement de la matière, de l'énergie, et — ce qui est plus important — de l'*information* avec leur environnement. Autrement dit, ces systèmes en mouvement perpétuel varient régulièrement à travers le temps et doivent être considérés comme fluctuants. Or ces fluctuations peuvent être si importantes que l'organisation qui en est le siège se trouve dans l'incapacité de les tolérer sans se transformer. A partir de ce seuil critique, il y a deux solutions possibles décrites en détail par Prigogine : soit le système est détruit par l'ampleur des fluctuations, soit il accède à un nouvel ordre interne, caractérisé par un niveau supérieur d'organisation.

Et nous voici au cœur de la découverte de Prigogine : la vie repose sur des structures dynamiques, qu'il nomme « structures dissipatives », dont le rôle consiste précisément à dissiper l'influx d'énergie, de matière et d'information responsable d'une fluctuation.

J. G. — Un instant : cette nouvelle approche de l'ordre inflige un démenti au second principe de la thermodynamique qui veut qu'au fil du temps, les systèmes fermés passent irrésistiblement de l'ordre au désordre : par exemple, si je verse quelques gouttes d'encre dans un verre d'eau, elles vont s'y disperser et je ne pourrai plus séparer les deux liquides.

I. B. — Ce fameux principe de la thermodynamique a été formalisé par le physicien français Carnot en 1824. Selon lui et les générations de savants qui suivirent, il n'y avait pas le moindre doute : l'univers est en lutte perpétuelle contre l'irréversible montée du désordre.

J. G. — Mais n'est-ce pas le contraire qui se passe dans les systèmes vivants ? Si nous examinons l'histoire des fossiles, nous voyons que les organisations cellulaires se sont constamment transformées, structurées par paliers de complexité croissante. Autrement dit, la vie n'est autre que l'histoire d'un ordre de plus en plus élevé et général. Car à mesure que l'univers reflue vers son état d'équilibre, il se débrouille malgré tout pour créer des structures de plus en plus complexes.

G. B. — C'est ce que démontre Prigogine. A ses yeux, les phénomènes d'autostructuration mettent en lumière une propriété radicalement nouvelle de la matière. Il existe une sorte de trame continue qui unit l'inerte, le pré-vivant et le vivant, la matière tendant, par construction, à se structurer pour devenir matière vivante. C'est au niveau moléculaire que s'opère une telle structuration, selon des lois qui restent encore largement énigmatiques. On constate en effet le comportement étrangement « intelligent » de telles molécules ou agrégats moléculaires sans toutefois être en mesure d'expliquer ces phénomènes. Extrêmement troublé par l'omniprésence de cet ordre sous-jacent au chaos apparent de la matière, Prigogine a un jour déclaré : « Ce qui est étonnant, c'est que chaque molécule *sait* ce que feront les autres molécules en même temps qu'elle et à des distances macroscopiques. Nos expériences montrent comment les molécules communiquent. Tout le monde accepte cette propriété dans les systèmes vivants, mais elle est pour le moins inattendue dans les systèmes inertes. »

J. G. — Et nous voici invités à franchir ce pas décisif : il y a continuité entre la matière dite « inerte » et la matière vivante. En fait, la vie tire directement ses propriétés de cette mystérieuse tendance de la matière à s'organiser elle-même, spontanément, pour aller vers des états sans cesse plus ordonnés et complexes. Nous l'avons déjà dit : l'univers est une vaste pensée. En chaque particule, chaque atome, chaque molécule, chaque cellule de matière, vit et œuvre à l'insu de tous une omniprésence.

Du point de vue du philosophe, cette dernière remarque est lourde de conséquences : elle veut dire, en effet, que l'univers a un axe, mieux encore : un *sens.*

Ce sens profond se trouve à l'*intérieur* de lui-même, sous la forme d'une cause transcendante. Si, comme nous venons de le voir, l'univers a une « histoire », si je vois l'improbabilité augmenter à mesure que je remonte vers le passé et la probabilité s'étendre à mesure que je descends vers l'avenir, s'il y a dans le cosmos un passage de l'hétérogène à l'homogène, s'il y a un progrès constant de la matière vers des états plus ordonnés, s'il y a une évolution des espèces vers une « super-espèce » (l'humanité, provisoirement peut-être), alors tout me porte à penser qu'il y a, au fond de l'univers lui-même, une cause de l'harmonie des causes, une intelligence.

La présence manifeste de cette intelligence, jusqu'au cœur de la matière me détourne pour toujours de la conception d'un univers qui serait apparu « par hasard », qui aurait produit la vie « par hasard » et l'intelligence également « par hasard ».

G. B. — Prenons un cas concret : une cellule vivante est composée d'une vingtaine d'acides aminés formant une « chaîne » compacte. La fonction de ces acides aminés dépend, à son tour, d'environ 2 000 enzymes spécifiques. Poursuivant le même raisonnement, les biologistes sont ainsi amenés à calculer que la probabilité pour qu'un millier d'enzymes différentes se rapprochent de manière ordonnée jusqu'à former une cellule vivante (au cours d'une évolution de plusieurs milliards d'années) est de l'ordre de 10^{1000} contre un.

J. G. — Autant dire que cette chance est nulle.

I. B. — C'est ce qui a poussé Francis Crick, prix Nobel de Biologie grâce à la découverte de l'ADN, à conclure dans le même sens : « Un honnête homme armé de tout le savoir à notre portée aujourd'hui se devrait d'affirmer que l'origine de la vie paraît actuellement tenir du miracle, tant il y a de conditions à réunir pour la mettre en œuvre. »

G. B. — Précisément, revenons un instant vers les origines, il y a quatre milliards d'années. A cette époque lointaine, ce qu'on appelle la vie n'existe pas encore. Sur la terre des premiers âges, balayée par les vents éternels, les molécules naissantes sont sans cesse brassées, coupées, reformées puis à nouveau dispersées par la foudre, la chaleur, les radiations et les cyclones.

Or, dès ce stade pourtant primitif, les premiers corps simples vont s'assembler selon des lois qui, déjà, ne doivent rien au hasard. Par exemple, il existe en chimie un principe aujourd'hui connu sous le nom de « stabilisation topologique de charges ». Cette « loi » implique que les molécules comportant, dans leur structure, des chaînes d'atomes en alternance (et, en particulier, le carbone, l'azote et l'oxygène) forment en s'assemblant des systèmes stables.

De quels systèmes s'agit-il ? Rien de moins que des pièces fondamentales composant la mécanique du vivant : les acides aminés.

Toujours selon la même loi d'affinité atomique, ils vont s'assembler à leur tour pour former les premières chaînes de ces précieux matériaux de la vie que sont les peptides.

Au cœur de ce bouillon primitif, dans les vagues noires des premiers océans du monde, commencent ainsi à émerger, toujours selon le même processus, les toutes premières molécules azotées (que l'on appelle « purines » et « pyrimidines ») desquelles va naître, plus tard, le code génétique. Et la grande aventure commence, emportant lentement la matière vers le haut, dans une irrésistible spirale ascendante : les premières particules azotées se renforcent, en s'associant à du phosphate et à des sucres, jusqu'à élaborer les prototypes des nucléotides, ces fameux éléments de base qui, en formant à leur tour d'interminables chaînes, vont conduire à cette étape fondamentale du vivant qu'est l'émergence de l'Acide Ribonucléique (le célèbre ARN, presque aussi connu que l'ADN).

Ainsi, en quelques centaines de millions d'années à peine, l'évolution a engendré des systèmes biochimiques stables, autonomes, protégés de l'extérieur par des membranes cellulaires et qui déjà ressemblent à certaines bactéries primitives.

J. G. — En dehors de l'approvisionnement en énergie (dont regorgeait l'environnement de l'époque), le véritable problème auquel se sont trouvées confrontées ces cellules archaïques, c'est celui de la reproduction. En effet, comment maintenir ces précieux assemblages ? Comment ces petites merveilles de la nature pouvaient-elles assurer leur pérennité ? Nous venons de voir que les acides aminés dont elles étaient formées obéissent à un ordre précis. Il fallait donc que ces premières cellules apprennent à « recopier » quelque part cet enchaînement dans l'élaboration de leurs protéines de base, afin d'être elles-mêmes en mesure de fabriquer de nouvelles protéines en tout point conformes aux précédentes.

La question est donc de savoir comment les choses se sont passées à ce stade : comment ces toutes premières cellules ont-elles inventé les innombrables stratagèmes qui ont conduit à ce prodige : la reproduction ?

I. B. — Là encore, c'est une « loi » inscrite au cœur même de la matière qui a permis le miracle : les acides aminés les plus « polaires » (c'est-à-dire ceux qui comportent une charge électrostatique élevée) sont spontanément attirés par des molécules azotées tandis que les moins polaires s'assemblent plutôt avec d'autres familles, telle la cytosine.

Ainsi est née la première ébauche du code génétique : en se rapprochant de certaines nucléotides (et pas de certaines autres), nos fameux acides aminés ont lentement élaboré les plans de leur propre construction, puis les outils et les matériaux destinés à les fabriquer.

G. B. — Il faut ici insister une fois encore : *aucune* des opérations évoquées plus haut ne pouvait s'effectuer au hasard.

Prenons un exemple parmi d'autres : pour que l'assemblage des nucléotides conduise « par hasard » à l'élaboration d'une molécule d'ARN utilisable, il aurait fallu que la nature multiplie *à tâtons* les essais durant au moins 10^{15} années, soit cent mille fois plus longtemps que l'âge total de notre univers.

Autre exemple : si l'océan primitif avait engendré toutes les variantes (c'est-à-dire tous les isomères) susceptibles d'être élaborées « par hasard » à partir d'une seule molécule contenant quelques centaines d'atomes, ceci nous aurait conduits à la construction de plus de 10^{80} isomères possibles. Or, l'univers entier contient sans doute moins de 10^{80} atomes.

J. G. — Autrement dit, un seul essai au hasard sur la Terre aurait suffi à épuiser l'univers tout entier. Un peu comme si tous les schémas de l'évolution avaient été écrits à l'avance, dès les origines.

Mais ici une question se pose. Si, l'évolution de la matière vers la vie et la conscience relève bien d'un *ordre*, de quel ordre s'agit-il ?

Je remarque que si le hasard tend à détruire l'ordre, l'intelligence se manifeste au contraire par l'organisation des choses, par la mise en place d'un ordre à partir du chaos. J'en conclus donc, en observant la stupéfiante complexité de la vie, que l'univers lui-même est « intelligent » : une intelligence transcendante à ce qui existe sur notre plan de réalité (à l'instant primordial de ce que nous appelons la Création), a ordonné la matière qui a donné naissance à la vie.

Mais une fois encore : quelle est la nature profonde de cet « ordre », de cette *intelligence* perceptible dans toutes les dimensions du réel ?

I. B. — Pour répondre, il nous faut réfléchir plus avant sur ce que nous appelons *hasard*.

Tout au long des pages précédentes, nous avons vu que l'aventure de la vie résulte d'une tendance universelle de la matière à s'organiser spontanément en systèmes de plus en plus hétérogènes. Le mouvement est orienté de l'unité vers la diversité, créant de l'ordre à partir du désordre, élaborant des structures d'organisation toujours plus complexes.

Mais pourquoi la nature produit-elle de l'ordre ? Encore une fois, on ne peut répondre à cette question sans rappeler ceci : l'univers semble avoir été minutieusement réglé afin de permettre l'émergence d'une matière ordonnée, puis de la vie, et enfin de la conscience. Que les lois physiques diffèrent un tant soit peu de ce qu'elles sont, et nous ne serons plus là pour en parler. Mieux encore : que l'une des grandes constantes universelles — par exemple, la constante de gravitation, la vitesse de la lumière ou la constante de Planck — ait été, à l'origine, soumise à une altération infime, et l'univers n'aurait eu aucune chance d'abriter des êtres vivants et intelligents : peut-être même ne serait-il jamais apparu.

Ce réglage d'une précision vertigineuse est-il le fait du pur « hasard », ou résulte-t-il de la volonté d'une Cause Première, d'une intelligence organisatrice transcendant notre réalité ?

HASARD OU NÉCESSITÉ ?

G. B. — Après avoir parcouru le long chemin de la vie, depuis les premières molécules organiques jusqu'à l'homme, nous voici à nouveau confrontés à une question inévitable : l'évolution cosmique qui a mené jusqu'à l'homme est-elle, comme le pensait le biologiste Jacques Monod, le fruit pur du hasard, ou bien cette évolution s'inscrit-elle dans un *grand dessein* universel dont chaque élément aurait été minutieusement calculé ? Y a-t-il un ordre sous-jacent derrière ce que, sans le comprendre, nous appelons le hasard ?

J. G. — Pour répondre à cette question, il nous faut aller vers le *hasard profond*, celui de l'énigme et des mystères : quelle est alors la signification de ce qu'on appelle, simplement, *l'ordre des choses ?*

Prenez un flocon de neige : ce petit objet obéit à des lois mathématiques et physiques d'une surprenante subtilité qui donnent lieu à des figures géométriques ordonnées mais toutes différentes les unes des autres : cristaux et polycristaux, aiguilles et dendrites, plaquettes et colonnes, etc. Le plus étonnant, c'est que chaque flocon de neige est unique au monde : après avoir flotté pendant une heure dans le vent, il a été soumis à des choix de toutes sortes, tels que température, humidité, présence d'impuretés dans l'atmosphère, qui vont induire une figure spécifique : la forme finale d'un flocon contient l'histoire de toutes les conditions atmosphériques qu'il a traversées. Ce qui me fascine, c'est qu'au cœur même du flocon de neige je retrouve l'essence d'un ordre : un équilibre délicat entre des forces de stabilité et des forces d'instabilité ; une interaction féconde entre des forces à l'échelle humaine et des forces à l'échelle atomique. D'où vient cet équilibre ? Quel est l'origine de cet ordre ? de cette symétrie ?

I. B. — Pour trouver un élément de réponse, nous allons descendre un peu plus loin dans l'infiniment petit. Regardons ce qui se passe au niveau de l'atome. Le comportement des particules élémentaires paraît désordonné, aléatoire, imprévisible. En physique quantique, il n'existe en effet aucun moyen de *prédire* des événements individuels ou singuliers. Imaginons que nous enfermions un kilo de radium dans une chambre forte et que, mille six cents ans plus tard, nous retournions sur les lieux pour voir ce qui s'est passé. Allons-nous retrouvons notre kilo de radium intact ? Pas du tout : la moitié des atomes de radium auront disparu selon le processus bien connu de désintégration radioactive. Les physiciens disent que la « demi-vie » ou *période* du radium est de mille six cents ans : le temps qu'il faut à la moitié des atomes d'un bloc de radium pour se désintégrer.

Ici, une question se pose : pouvons-nous déterminer *quels* atomes de radium vont se désintégrer ? N'en déplaise aux défenseurs du déterminisme, nous n'avons aucun moyen de savoir *pourquoi* tel atome se désintègre plutôt que tel autre. Nous pouvons prédire *combien* d'atomes vont se désintégrer mais nous sommes incapables de dire *lesquels :* aucune loi physique ne permet de décrire le processus à l'origine de cette sélection. La théorie quantique peut décrire avec une très grande précision le comportement d'un groupe de particules, mais dès lors qu'il s'agit d'une particule individuelle, elle ne pourra avancer que des *probabilités.*

J. G. — Cet argument est de taille, mais il n'entame pas ma conviction. Jusqu'à quel point ce qui nous paraît aléatoire à un certain niveau ne se révèle-t-il pas ordonné à un niveau supérieur ? Pour revenir à ce que nous disions à propos du hasard, j'ai l'impression que celui-ci n'existe pas : ce que nous appelons le hasard n'est que notre incapacité à comprendre un degré d'ordre supérieur.

G. B. — Là, nous rencontrons les idées du physicien anglais David Bohm, selon lequel les mouvements des grains de poussière dans un rayon de soleil ne sont aléatoires qu'en apparence : sous le désordre visible des phénomènes existe un ordre profond, *d'un degré infiniment élevé,* qui permettrait d'expliquer ce que nous interprétons comme le fruit du hasard. Rappelons-nous, par exemple, une expérience célèbre en physique : celle des « doubles fentes ». Le dispositif est d'une grande simplicité : on interpose un écran percé de deux fentes verticales parallèles entre une plaque photographique et une source lumineuse qui permet d'envoyer des photons, c'est-à-dire des grains de lumière, vers l'écran. Quand on projette les particules lumineuses *une à une* vers les fentes, il nous est impossible de dire *quelle* fente la particule va traverser, ni *où* exactement elle va aboutir sur la plaque photographique. De ce point de vue, les mouvements et la trajectoire de la particule lumineuse sont aléatoires et imprévisibles.

Pourtant, après un millier de tirs environ, les photons ne laissent pas une tache aléatoire sur la plaque photographique. L'ensemble des particules envoyées séparément forment à présent une figure parfaitement ordonnée, bien connue sous le nom de franges d'interférences. Cette figure, dans son ensemble, était parfaitement prévisible. Autrement dit, le caractère « aléatoire » du comportement de chaque particule isolée recelait, en fait, un degré d'ordre très élevé que nous ne pouvions pas interpréter.

J. G. — Cette expérience renforce mon intuition première : l'univers ne contient pas de hasard mais divers degrés d'ordre dont il nous appartient de déchiffrer la hiérarchie. J'ai travaillé, avec mes confrères de l'Académie des Sciences, à un livre sur la turbulence, sur certains phénomènes chaotiques, comme un tourbillon dans l'eau ou les volutes d'un filet de fumée dans l'air calme. Apparemment, ces mouvements sont à la fois indescriptibles et imprévisibles ; mais contre toute attente, derrière les écoulements turbulents ou dans les mouvements hasardeux de la fumée, une sorte de *contrainte* se fait sentir : le désordre se trouve, en quelque sorte, canalisé à l'intérieur de motifs tous construits sur un même modèle sous-jacent auquel les spécialistes du chaos ont donné le joli nom d' « Attracteur Étrange ».

G. B. — Une précision sur l'attracteur étrange : celui-ci existe dans « l'espace des phases », c'est-à-dire dans l'espace contenant toutes les informations dynamiques, toutes les variations possibles d'un système mécanique. Un exemple d'attracteur élémentaire ? Un point fixe, auquel est suspendue une bille d'acier. Celle-ci peut se déplacer au bout de son fil, mais selon une orbite précise, de laquelle notre bille aura du mal à s'écarter. Dans l'espace des phases, toutes les trajectoires voisines sont comme attirées par l'orbite de rotation : celle-ci est l'« attracteur étrange » du système. Or, ce qui est vrai pour un système simple l'est tout autant pour des systèmes complexes : il existe en eux des « attracteurs étranges » qui ordonnent en profondeur leur comportement.

I. B. — A l'échelle macroscopique, la présence de structures ordonnées caractérisant l'univers reste, en dépit de nos connaissances, un mystère. Prenons la question de l'homogénéité des galaxies : l'uniformité et l'isotropie de la distribution de la matière sont stupéfiantes ; rappelons-nous que la taille de l'univers observable est de l'ordre de 10^{28} centimètres ; à cette échelle, la matière a une densité uniforme que l'on peut mesurer avec une précision de l'ordre de 10^{-5}. Toutefois, à des échelles inférieures, l'univers cesse d'être homogène : il est constitué d'amas de galaxies contenant des galaxies qui, elles-mêmes, sont composées d'étoiles, etc. La question, troublante entre toutes, est donc celle-ci : quelle est l'origine de cette homogénéité ? Comment l'inhomogénéité régnant à petite échelle a-t-elle pu engendrer un ordre si élevé à grande échelle ?

J. G. — Si un *ordre* sous-jacent gouverne l'évolution du réel, il devient impossible de soutenir, d'un point de vue scientifique, que la vie et l'intelligence sont apparues dans l'univers à la suite d'une série d'accidents, d'événements aléatoires dont toute finalité serait absente. En observant la nature et les lois qui s'en dégagent, il me semble, au contraire, que l'univers tout entier *tend vers la conscience.* Mieux encore : dans son immense complexité et malgré ses apparences hostiles, l'univers est *fait* pour engendrer du vivant, de la conscience et de l'intelligence. Pourquoi ? parce que, pour paraphraser une citation célèbre, « matière sans conscience n'est que ruine de l'univers ». Sans nous, sans une conscience pour témoigner de lui-même, l'univers ne pourrait avoir d'existence : *nous sommes l'univers lui-même,* sa vie, sa conscience, son intelligence.

G. B. — Nous touchons là au grand mystère : rappelons-nous que la réalité tout entière repose sur un petit nombre de constantes cosmologiques : moins de quinze. Il s'agit de la constante de gravitation, de la vitesse de la lumière, du zéro absolu, de la constante de

Planck, etc. Nous connaissons la valeur de chacune de ces constantes avec une remarquable précision.

Or, si *une seule* de ces constantes avait été un tant soit peu modifiée, alors l'univers — du moins tel que nous le connaissons —, n'aurait pas pu apparaître. Un exemple frappant nous est donné par la densité initiale de l'univers : si cette densité s'était écartée un tant soit peu de la valeur critique qui était la sienne dès 10^{-35} seconde après le big bang, l'univers n'aurait pas pu se constituer.

I. B. — Aujourd'hui, le rapport entre la densité de l'univers et la densité critique originelle est de l'ordre de 0,1 ; or il a été incroyablement près de 1 à l'époque très reculée jusqu'à laquelle nous remontons : 10^{-35} seconde. L'écart avec le seuil critique a été extraordinairement faible (de l'ordre de 10^{-40}) un instant après le big bang, de sorte que l'univers a donc été « équilibré » juste après sa naissance.

G. B. — Ceci a permis le déclenchement de toutes les phases qui ont suivi. Un autre exemple de ce fantastique réglage : si nous augmentions de un pour cent à peine l'intensité de la force nucléaire qui contrôle la cohésion du noyau atomique, nous supprimerions toute possibilité aux noyaux d'hydrogène de rester libres ; ils se combineraient à d'autres protons et neutrons pour former des noyaux lourds. Dès lors, l'hydrogène n'existant plus, il ne pourrait plus se combiner aux atomes d'oxygène pour produire l'eau indispensable à la naissance de la vie. Au contraire, si nous diminuons légèrement cette force nucléaire, c'est alors la fusion des noyaux d'hydrogène qui devient impossible. Sans fusion nucléaire, plus de soleils, plus de sources d'énergie, plus de vie.

I. B. — Ce qui est vrai pour la force nucléaire l'est tout autant pour d'autres paramètres, comme la force électromagnétique. Si nous l'augmentions très légèrement, nous renforcerions la liaison entre l'électron et le noyau ; du même coup, les réactions chimiques qui résultent du transfert des électrons vers d'autres noyaux ne seraient plus possibles. Quantités d'éléments ne pourraient se former et dans un tel univers, les molécules d'ADN n'auraient eu aucune chance d'apparaître.

D'autres preuves du réglage parfait de notre univers ? la force de gravité, par exemple. Si elle avait été à peine plus faible lors de la formation de l'univers, les nuages primitifs d'hydrogène n'auraient jamais pu se condenser pour atteindre le seuil critique de la fusion nucléaire : les étoiles ne se seraient jamais allumées. Nous ne serions guère plus heureux dans le cas contraire : une gravité plus forte aurait conduit à un véritable « emballement » des réactions nucléaires : les étoiles se seraient embrasées furieusement pour mourir si vite que la vie n'aurait pas eu le temps de se développer.

En fait, quels que soient les paramètres considérés, la conclusion est toujours la même : si l'on modifie un tant soit peu leur valeur, nous supprimons toute chance d'éclosion de la vie. Les constantes fondamentales de la nature et les conditions initiales qui ont permis l'apparition de la vie paraissent donc réglées avec une précision vertigineuse. Encore un dernier chiffre : si le taux d'expansion de l'univers à son début avait subi un écart de l'ordre de 10^{-40}, un nombre effroyablement petit puisque le chiffre 1 n'apparaît qu'après 40 zéros, la matière initiale se serait éparpillée dans le vide : l'univers n'aurait pu donner naissance aux galaxies, aux étoiles et à la vie. On pourrait comparer la précision inimaginables d'un tel réglage à la prouesse que devrait accomplir un tireur en atteignant une cible d'un centimètre carré qui se trouverait à l'autre bout de l'univers, à 15 milliards d'années-lumière.

J. G. — De tels chiffres ne peuvent que renforcer ma conviction : ni les galaxies et leurs milliards d'étoiles, ni les planètes et les formes de vie qu'elles contiennent ne sont un accident ou une simple « fluctuation du hasard ». Nous ne sommes pas apparus *comme ça,* un beau jour plutôt qu'un autre, parce qu'une paire de dés cosmiques a roulé du bon côté. Laissons cela à ceux qui ne veulent pas affronter la vérité des chiffres.

I. B. — Il est vrai que le calcul des probabilités plaide en faveur d'un univers ordonné, minutieusement réglé, dont l'existence ne peut être engendrée par le hasard. Certes, les mathématiciens ne nous ont pas encore raconté toute l'histoire du hasard : ils ignorent même ce que c'est. Mais ils ont pu procéder à certaines expériences grâce à des ordinateurs générateurs de nombres aléatoires. A partir d'une règle dérivée des solutions numériques aux équations algébriques, on a programmé des machines *à produire du hasard.* Ici, les lois de probabilité indiquent que ces ordinateurs devraient calculer pendant des milliards de milliards de milliards d'années, c'est-à-dire pendant une durée quasiment infinie, avant qu'une combinaison de nombres comparable à ceux qui ont permis l'éclosion de l'univers et de la vie puisse apparaître. Autrement dit, la probabilité mathématique pour que l'univers ait été engendré par le hasard est pratiquement nulle.

J. G. — J'en suis convaincu. Si l'univers existe tel que nous le connaissons, c'est bien pour permettre à la vie et à la conscience de se développer. Notre existence était, en quelque sorte, minutieusement programmée *dès le début*, au Temps de Planck. Tout ce qui m'entoure aujourd'hui, depuis le spectacle des étoiles jusqu'aux arbres qui ornent le jardin du Luxembourg, tout cela existait *déjà* en germe dans l'univers minuscule des débuts : l'univers *savait* que l'homme viendrait à son heure.

G. B. — Nous retrouvons ici le fameux « Principe Anthropique », émis, en 1974, par l'astrophysicien anglais Brandon Carter. Selon lui, en effet, « l'univers se trouve avoir, très exactement, les propriétés requises pour engendrer un être capable de conscience et d'intelligence ». Dès lors, les choses sont ce qu'elles sont, tout simplement parce qu'elles *n'auraient pas pu être autrement :* il n'y a pas de place, dans la réalité, pour un univers différent de celui qui nous a engendrés.

I. B. — Sauf si nous acceptons l'idée selon laquelle il existe, aux côtés de notre univers, une infinité d'autres univers « parallèles » qui présentent tous des différences plus ou moins importantes avec le nôtre. Mais nous y viendrons en détail un peu plus loin.

J. G. — Si, effectivement, il n'y a pas de place pour un autre univers que celui dans lequel nous vivons, ceci veut dire, une fois de plus, qu'un ordre implicite, très profond et invisible, est à l'œuvre *en dessous* du désordre explicite qui se manifeste avec tant de générosité. La nature façonne *à même le chaos* les formes compliquées et hautement organisées du vivant. Par opposition avec la matière inanimée, l'univers du vivant est caractérisé par un degré d'ordre croissant : alors que l'univers physique va vers une entropie de plus en plus élevée, le vivant remonte en quelque sorte ce courant contraire pour créer toujours davantage d'ordre.

Dès lors, il nous faut réévaluer le rôle de ce que nous appelons « hasard ». Jung soutenait que l'apparition de « coïncidences significatives » impliquait nécessairement l'existence d'un principe explicatif qui devait s'ajouter aux concepts d'espace, de temps et de causalité. Ce grand principe, nommé *principe de synchronicité*, est fondé sur un ordre universel de compréhension, complémentaire de la causalité. A l'origine de la Création, il n'y a pas d'événement aléatoire, *pas de hasard*, mais un degré d'ordre infiniment supérieur à tout ce que nous pouvons imaginer : ordre suprême qui règle les constantes physiques, les conditions initiales, le comportement des atomes et la vie des étoiles. Puissant, libre, infiniment existant, mystérieux, implicite, invisible, sensible, *il est là*, éternel et nécessaire derrière les phénomènes, très loin au-dessus de l'univers mais présent dans chaque particule.

Ainsi, la réalité — telle que nous la connaissons — semble le fruit d'un ordre transcendant, qui sous-tend son apparition et son développement.

Mais qu'est-ce que le réel ? De quoi est constitué le monde physique qui nous entoure ? La conception mécaniste de l'univers proposée par la physique de Newton est fondée sur l'idée selon laquelle la réalité comporte deux choses fondamentales : des objets solides et un espace vide. Dans la vie quotidienne, cette conception fonctionne sans défaillance : les concepts d'espace vide et de corps solides font totalement partie de notre manière de penser et d'appréhender le monde physique. Le domaine quotidien peut ainsi être vu comme une « région de dimensions moyennes » où les règles de la physique classique continuent à s'appliquer.

Or tout va changer si nous quittons l'univers de notre vie pour plonger dans l'infiniment petit, à la recherche de ses constituants ultimes. Ce n'est qu'au début de ce siècle, grâce à la découverte des substances radioactives, que l'on allait comprendre la véritable nature des atomes : ils n'étaient pas des billes de matière insécables, mais composés de particules encore plus petites. Dans la ligne des expériences de Rutherford, les recherches de Heisenberg et des physiciens quantiques ont montré que les constituants des atomes — électrons, protons, neutrons, et les dizaines d'autres éléments infranucléaires qui ont été découverts par la suite — ne manifestent aucune des propriétés associées aux objets physiques. Les particules élémentaires ne se comportent tout simplement pas de la même façon que des particules « solides » : elles semblent se conduire comme des entités abstraites.

De quoi s'agit-il ?

Pour tenter de le savoir, il nous faudra abandonner notre monde, ses lois et ses certitudes. Et alors, nous devrons bien admettre que l'univers est non seulement plus étrange que nous le pensons, mais bien plus étrange encore que nous ne pouvons *le penser.*

A LA RECHERCHE DE LA MATIÈRE

J. G. — Depuis maintenant près d'un siècle, nous sommes entrés dans l'*ère quantique.* Et le philosophe que je suis s'interroge : en quoi cette nouvelle conception remet-elle en question notre compréhension des objets qui nous entourent dans la vie quotidienne ? Reprenons, une nouvelle fois, l'exemple de notre clé : ce que nous avons appris nous oblige désormais à admettre qu'il s'agit d'une clé faite d'entités appartenant à un *autre monde :* celui de l'infiniment petit, de l'atome et des particules élémentaires. Mais comment faire coïncider l'évolution de nos connaissances théoriques avec l'expérience qui nous vient de la réalité de tous les jours ? Tout ce que la physique quantique m'a appris à propos de cette clé ne m'empêche pas, en effet, de la ressentir comme un « objet » matériel, dont j'éprouve le poids et la consistance au creux de ma main. Mais tout cela n'est qu'illusion au théâtre de la réalité. Qu'y a-t-il donc *au-delà* de sa substance solide ? Avant de laisser la parole à la science d'aujourd'hui, je voudrais revenir vers deux grands penseurs qui ont, chacun à sa manière, répondu à cette question : le premier s'appelait Bergson.

Par un beau jour de mai 1921, j'avais décidé de me rendre à l'Académie des Sciences morales et politiques. Là, pour la première fois, j'ai rencontré (ou plutôt : contemplé de loin, dans le clair-obscur d'une salle qui sentait le vieux bois et la cire) le grand Bergson. De cette première rencontre, il me reste aujourd'hui deux choses : un dessin de son visage dont je griffonnais à la hâte le profil ; au-delà de l'image, l'empreinte profonde, ineffaçable, de sa pensée. Ce jour-là, j'ai réalisé qu'il avait une vue purement *spirituelle* de la matière. Pour bien la comprendre, il faut se souvenir de ceci, qu'il écrivit en 1912 à un jésuite, le père de Tonquédec.

« *Les considérations exposées dans mon essai* Matière et Mémoire *font toucher du doigt, je l'espère, la réalité de l'esprit. De tout cela se dégage naturellement l'idée d'un Dieu créateur et libre générateur à la fois de la matière et de la vie.* »

Comment en était-il arrivé à une telle certitude ? Tout simplement en s'appuyant sur cette idée qu'à l'origine de l'univers, il y a un élan de pure conscience, une montée vers le haut qui, à un moment, s'est interrompue et a « chuté ». C'est cette chute, cette *retombée* de la conscience divine qui a engendré la matière telle que nous la connaissons. Rien d'étonnant, alors, que cette matière ait une mémoire « spirituelle », liée à ses origines.

A présent, quelques mots sur un deuxième personnage qui, lui aussi, a beaucoup compté dans ma vie : le père Teilhard de Chardin. Il avait été le compagnon de mon oncle Joseph qui, depuis toujours, m'avait parlé de lui. J'ai fini par le rencontrer un beau jour de 1928, au cours d'une retraite. Et déjà, il était *tout entier* dans cette première apparition, empreint de cette gravité qui ne l'a jamais quitté. On a beaucoup dit, beaucoup écrit sur ce grand penseur; mais l'essentiel de sa philosophie s'exprime moins (comme on le pense à tort) dans la vision qu'il avait de l'évolution biologique que dans l'idée toute personnelle qu'il se faisait de la matière. Cette idée s'est brusquement imposée à lui lorsqu'il avait sept ans. Un beau jour, il avait frôlé de sa main d'enfant le soc d'une charrue : en un éclair, il allait saisir ce qu'était l'Être : quelque chose de dur, de pur et de *palpable.* Mais surtout, au moment où ses petits doigts se posèrent sur l'acier froid et lisse de l'outil, sa mère se mit à lui parler de Jésus-Christ. Alors en cet enfant, les deux extrémités de l'Être, la matière et l'esprit, ces deux pôles que l'on oppose le plus souvent, se sont réunis à jamais.

Aujourd'hui, j'ai envie de donner raison à Bergson et à Teilhard ; comme eux, j'ai la tentation de croire que la matière est *faite* d'esprit et qu'elle nous conduit donc directement à la contemplation de Dieu. Soixante ans après les grandes découvertes de la théorie quantique, mes croyances en la « spiritualité » de la matière, ou encore en la matérialité de l'esprit, sont-elles objectivement fondées ? Autrement dit, est-ce que nos connaissances les plus actuelles sur la matière nous conduisent, scientifiquement, vers l'esprit ? Nous commençons à comprendre qu'il peut y avoir des réponses à ces questions : c'est au cœur même de la matière, dans son intimité la plus profonde, que nous devons les chercher.

G. B. — Partons de quelque chose de visible : une goutte d'eau par exemple. Celle-ci est composée de molécules (environ mille milliards de milliards), chacune d'elles mesurant 10^{-9} mètre. A présent, pénétrons dans ces molécules : nous allons y découvrir des atomes beaucoup plus petits, dont la dimension est de 10^{-10} mètre. Continuons notre voyage. Chacun de ces atomes est composé d'un noyau encore plus petit (10^{-14} mètre) et d'électrons « gravitant » autour.

Mais notre exploration ne s'arrête pas là. Un nouveau saut, et nous voici au cœur même du noyau : cette fois, nous rencontrons une foule de particules nouvelles (les nucléons, dont les plus importants sont les protons et les neutrons) d'une petitesse extraordinaire, puisqu'elles atteignent une dimension de 10^{-15} mètre. Avons-nous atteint la fin de notre voyage? S'agit-il de la frontière ultime au-delà de laquelle il n'y a plus rien ? Nullement.

Car depuis une vingtaine d'années, on a découvert des particules encore plus petites, les hadrons, composés eux-mêmes d'entités infinitésimales, qui atteignent la « taille » inimaginable de 10^{-18} mètre : les quarks. Nous verrons tout à l'heure pourquoi ces particules représentent une sorte de « mur dimensionnel » : il n'existe aucune grandeur physique plus *petite* que 10^{-18} mètre.

I. B. — Revenons à votre clé. La première chose dont nous sommes désormais certains, c'est que cette clé *est faite de vide.* Un exemple va nous permettre de mieux comprendre que l'univers entier est essentiellement composé de vide. Imaginons ainsi que notre clé grandisse, jusqu'à atteindre la taille de la Terre. A cette échelle, les atomes qui composent la clé géante auraient à peine la taille de cerises.

Mais voici quelque chose d'encore plus étonnant. Supposons que nous prenions dans la main l'un de ces atomes de la taille d'une cerise.

Nous aurions beau l'examiner, même à l'aide d'un microscope, il nous serait absolument impossible d'observer le noyau, bien trop petit à une telle échelle. En fait, pour voir quelque chose, il va falloir à nouveau changer d'échelle. La cerise représentant notre atome va donc grandir à nouveau pour devenir un énorme globe haut de deux cents mètres. Malgré cette taille impressionnante, le noyau de notre atome ne sera pourtant pas plus gros qu'un minuscule grain de poussière. C'est cela, le vide de l'atome.

G. B. — Arrêtons-nous un instant sur ce sujet déconcertant : le paradoxe d'une multitude d'éléments qui, finalement, débouchent sur le vide, l'insaisissable. Pour comprendre, supposons que je veuille compter tous les atomes d'un grain de sel. Et supposons encore que je sois assez rapide pour en dénombrer un milliard par seconde. En dépit de cette performance remarquable, il me faudrait plus de cinquante siècles pour effectuer le recensement complet de la population d'atomes contenue par ce minuscule grain de sel. Autre image : si chaque atome de notre grain de sel avait la taille d'une tête d'épingle, l'ensemble des atomes composant le grain de sel recouvrirait l'Europe entière d'une couche uniforme, épaisse de vingt centimètres.

J. G. — Le nombre d'individus existant à l'intérieur d'une particule de matière est tellement au-delà de ce que notre imagination a l'habitude de concevoir qu'il produit un effet comparable à une sorte de *terreur...*

I. B. — Et pourtant, il règne un vide immense entre les particules élémentaires. Si je représente le proton d'un noyau d'oxygène par une tête d'épingle placée sur cette table devant moi, alors l'électron qui gravite autour décrit une circonférence qui passe par la Hollande, l'Allemagne et l'Espagne. C'est pourquoi, si tous les atomes qui composent mon corps devaient se rassembler jusqu'à se toucher, vous ne me verriez plus. D'ailleurs, personne ne pourrait plus jamais m'observer à l'œil nu : j'aurais la taille d'une infime poussière de quelques millièmes de millimètre à peine.

En fait, lors de leur hallucinante plongée au cœur de la matière, les physiciens se sont aperçus que leur voyage, loin de s'arrêter à la frontière du noyau, débouche en fait sur l'immense océan de ces particules nucléaires que nous avons désignées plus haut sous le nom de « hadrons ». Tout se passe comme si, après avoir quitté le fleuve sur lequel nous avions l'habitude de naviguer, nous nous trouvions face à une mer sans limite, creusée de vagues énigmatiques, qui se perdent dans un horizon noir et lointain.

J. G. — Ceci pourrait aussi bien s'appliquer à l'infiniment grand. Si nous tournons nos yeux vers les étoiles, que rencontrons-nous ? Là encore, le vide. Un vide énorme entre les étoiles et, toujours plus loin, à des millions ou des milliards d'années-lumière d'ici, le vide intergalactique : une immensité inconcevable, dans laquelle on ne rencontre absolument rien, à l'exception, peut-être, d'un atome vagabond et solitaire, perdu à jamais dans l'infini noir, silencieux et glacial. Il existe comme une similitude entre l'infiniment grand et l'infiniment petit.

G. B. — A ceci près que si les étoiles sont des objets matériels, les particules subatomiques ne sont pas des petits grains de poussière. Ce sont plutôt, comme nous l'avons vu, des *tendances à exister*, ou encore des « corrélations entre des observables macroscopiques ».

Par exemple, lorsqu'un simple électron passe à travers une plaque photographique, il laisse une trace qui ressemble à une succession de petits points formant une ligne. Normalement, nous aurions tendance à penser que cette « piste » résulte du passage d'un seul et même électron sur la plaque photographique, un peu comme une balle de tennis rebondissant sur une surface en terre battue. Or, il n'en est rien. La mécanique quantique affirme que la relation entre les points qui représentent un « objet » en mouvement est un pur produit de nos esprits : en réalité, l'électron supposé laisser une trace *ponctuelle* n'existe pas. En termes plus rigoureusement conformes à la théorie quantique, le postulat d'une particule dotée d'une existence indépendante est une convention sans doute commode, mais infondée.

J. G. — Mais qu'est-ce qui laisse une trace sur la plaque photographique ?

G. B. — Pour répondre, il nous faut aborder un nouveau domaine de la physique. Désormais, les physiciens pensent que les particules élémentaires, loin d'être des objets, sont en réalité le résultat toujours provisoire d'interactions incessantes entre des « champs » immatériels.

J. G. — Il y a déjà une trentaine d'années que, pour la première fois, j'ai entendu parler de ce concept de champ. Cette nouvelle théorie me semble déboucher sur une approche *vraie* du réel : l'étoffe des choses, le substrat ultime n'est pas matériel mais abstrait : une *idée pure* dont la silhouette n'est indirectement cernable que par un acte mathématique.

A cet égard, je remarque que la science rectrice, celle qui nous fait pénétrer à l'intérieur des secrets du cosmos, n'est pas tant la physique que la mathématique, ou la physique mathématique. Ceci est visible dans le destin de deux illustres savants, qui ont l'un et l'autre croisé ma vie à plusieurs reprises : les deux frères Broglie. L'aîné, le duc Maurice, était avant tout physicien ; mais son jeune frère Louis, mathématicien de formation, a fait davantage de découvertes devant son tableau noir que Maurice dans son laboratoire. Pourquoi ? Probablement parce que l'univers cache un secret d'*élégance abstraite*, un secret dans lequel la matérialité est peu de chose.

I. B. — Votre intuition se rapproche des résolutions proposées par la nouvelle physique. Mais est-il possible d'en dire davantage à propos de ce secret qui, à vos yeux de philosophe, se cache derrière l'univers ?

J. G. — Quand je considère l'*ordre mathématique* qui se révèle au cœur du réel, ma raison m'oblige à dire que cet inconnu caché derrière le cosmos est au moins une intelligence hyper-mathématique, calculante et, même si le mot n'est pas très beau, *relationnante*, c'est-à-dire fabriquant des relations, de sorte qu'elle doit être de type abstrait et spirituel.

Sous la face visible du réel, il y a donc ce que les Grecs appelaient un « logos », un élément intelligent, rationnel, qui règle, qui dirige, qui anime le cosmos, et qui fait que ce cosmos n'est pas chaos, mais ordre.

G. B. — La description que vous proposez de cet élément structurant est à rapprocher de la façon dont l'on conçoit aujourd'hui les champs physiques fondamentaux

J. G. — Quelle est la nature profonde de ces champs physiques ?

G. B. — Nous allons y venir plus loin. Mais auparavant, je crois indispensable de mieux cerner ce que recouvre aujourd'hui cette notion, somme toute assez vague, de particule élémentaire.

D'abord, il faut savoir qu'il n'y a, en tout et pour tout, que quatre particules stables dans le monde atomique : le proton, l'électron, le photon et le neutron. Il en existe des centaines d'autres, mais qui sont infiniment moins stables, se désintégrant soit presque instantanément après leur apparition, soit au bout d'un temps plus ou moins long.

J. G. — Un chiffre vient de me frapper : vous dites qu'il existe une centaine de particules, toutes différentes les unes des autres...

I. B. — A mesure que les recherches avancent, l'on trouve sans cesse davantage de particules nouvelles, toujours plus *fondamentales.* En fait, lors de leur plongée au cœur du noyau, les physiciens ont découvert l'immense océan de ces particules nucléaires que, depuis, on a coutume d'appeler hadrons.

G. B. — Un point s'impose : il n'existe que trois possibilités concernant ce qui se tient *derrière* la frontière du noyau. La première hypothèse est que la course à l'infiniment petit ne peut avoir de fin. Depuis une vingtaine d'années, grâce à des accélérateurs de particules toujours plus puissants, les physiciens ont identifié une foule de particules sans cesse plus fondamentales, plus petites, plus instables, plus insaisissables, de sorte qu'il paraît exister un nombre infini de niveaux successifs de réalité. Face à cette prolifération vertigineuse, qui s'est encore accélérée ces dernières années, certains chercheurs sont aujourd'hui saisis d'un doute : et si, au fond, il n'existait pas de particule vraiment « élémentaire » ? Les particules identifiables ne sont-elles pas constituées de particules toujours plus petites, et ainsi de suite, au cours d'un processus d'emboîtement qui n'aurait jamais de fin ?

La deuxième approche, développée par une minorité de spécialistes du noyau, est fondée sur l'idée que nous parviendrons un jour à rencontrer le niveau fondamental de la matière, une sorte de « fond rocheux » constitué de particules indivisibles, au-delà desquelles il sera absolument impossible de trouver quoi que ce soit d'autre.

Enfin, reste la troisième hypothèse : à ce niveau ultime, les particules identifiées comme fondamentales seront *à la fois* élémentaires et composites. Dans ce cas, ces particules seront bien constituées d'éléments, mais ces éléments seront de même nature qu'elles. Pour prendre une image, tout se passe comme si une tarte aux pommes coupée en deux donnait deux nouvelles tartes aux pommes entières, absolument identiques à la tarte originale. Quelle que soit la façon dont on s'y prendra, il est ici impossible d'obtenir deux demi-tartes.

C'est cette troisième approche qui semble aujourd'hui recueillir l'adhésion de la majorité des physiciens du noyau : elle a permis de modéliser, en particulier, la théorie des quarks.

J. G. — Quelle que soit l'approche adoptée, la plongée au cœur de la matière présente tout de même des aspects déroutants. C'est pourquoi le philosophe doit se poser une question simple : quelle est aujourd'hui la particule la plus élémentaire, la plus fondamentale, mise en évidence par le physicien ?

G. B. — Il semble que cette entité ultime ait été atteinte, du moins par la théorie, avec ce que les physiciens, non sans malice, ont baptisé « quarks ». Pourquoi ? Parce que ces particules existent par groupes de trois, tout comme les fameux « quarks » inventés par James Joyce dans son roman *Finnegans Wake.* Pour les découvrir, plongeons au cœur du noyau : nous y rencontrons les hadrons, particules aujourd'hui bien identifiées, qui participent à toutes les interactions connues. Or ces particules semblent elles-mêmes se décomposer en entités encore plus petites : les quarks.

Avec les quarks, commence le domaine de la pure abstraction, le royaume des êtres mathématiques. Jusqu'ici, il n'a jamais été possible de constater la dimension physique de ces quarks : on a beau les chercher partout dans les rayons cosmiques, dans d'innombrables expériences de laboratoire, ils n'ont jamais été observés. En somme, le modèle du quark repose sur une sorte de fiction mathématique qui, étrangement, présente l'avantage de fonctionner.

I. B. — La théorie de cette particule hypothétique a été proposée pour la première fois en 1964, par le physicien Murray Gell-Mann. Selon cette approche, toutes les particules aujourd'hui connues résulteraient de la combinaison de quelques quarks fondamentaux, différents les uns des autres. Le plus surprenant, c'est qu'aujourd'hui, la plupart des physiciens acceptent l'idée que les quarks seront à jamais insaisissables : ils resteraient irréversiblement confinés « de l'autre côté » de la réalité observable. Par là, on reconnaît donc implicitement que notre connaissance de la réalité est elle-même fondée sur une dimension *non matérielle*, un ensemble d'entités sans modes et sans forme, transcendant l'espace-temps, dont la « substance » n'est qu'un nuage de chiffres.

J. G. — Ceci relève d'un constat purement métaréaliste. Ces entités fondamentales n'ont-elles pas une double face ? l'une, abstraite, est en relation avec le domaine des essences ; mais il en existe une autre, concrète, qui serait en contact avec notre monde physique. Dans cet ordre d'idée, le quark serait une sorte de « médiateur » entre les deux mondes.

G. B. — A l'appui de votre intuition, nous pouvons proposer une première esquisse qui semble, pour le moment, correspondre le mieux à ce que sont ces quarks, si jamais ils existent. Cette approche commence aujourd'hui à être connue dans le milieu de la physique sous le nom quelque peu mystérieux de « Matrice S ». De quoi s'agit-il ?

Disons tout de suite qu'elle diffère des théories classiques en ce qu'elle ne s'efforce pas de décrire le quark *en lui-même* mais permet d'en saisir l'ombre portée à travers ses interactions. De ce point de vue, les particules élémentaires n'existent pas en tant qu'objets, en tant qu'entités signifiantes par elle-mêmes, mais sont seulement perceptibles à travers les effets qu'elles engendrent. Ainsi, les quarks peuvent-ils être considérés comme des « états intermédiaires » dans un réseau d'interactions.

I. B. — Où s'arrêtera donc notre recherche des matériaux ultimes ? Peut-être sur trois particules qui, à elles seules, semblent constituer l'univers tout entier : l'électron, et à ses côtés, deux familles de quarks : le quark « U » (pour *up*) et le quark « D » (pour *down*), U et D représentant un caractère que les physiciens ont appelé « saveur ». A elles seules, ces trois familles de particules paraissent assurer toute la prodigieuse variété des forces, des phénomènes et des formes rencontrés dans la nature.

J. G. — En somme, nous voilà au bout de notre voyage dans l'infiniment petit. Qu'avons-nous rencontré dans notre périple au cœur de la matière ? Presque *rien.* Une fois encore, la réalité se dissout, se dissipe dans l'évanescent, l'impalpable : la « substance » du réel n'est qu'un nuage de probabilités, une fumée mathématique. La vraie question, c'est de savoir *de quoi* cet impalpable est fait : qu'y a-t-il sous ce « rien » à la surface duquel repose l'être ?

Nous voici parvenus au bord du monde matériel : en face de nous se tiennent ces entités ténues et étranges que nous avons rencontrées sur notre route sous le nom de « quarks ». Ce sont les ultimes témoins de l'existence de « quelque chose » qui s'apparente encore à une « particule ». Mais qu'y a-t-il au-delà ?

L'observation nous montre que le comportement des quarks est structuré, ordonné. Mais par quoi ? Quelle est cette empreinte invisible qui intervient au-dessous de la matière observable ?

Pour répondre à ces questions, nous allons devoir abandonner toutes nos références, tous les repères sur lesquels s'appuyaient nos sens et notre raison. Par-dessus tout, nous allons devoir renoncer à la croyance illusoire en « quelque chose de solide » dont serait fait le tissu de l'univers.

Ce que nous allons rencontrer en chemin, ce n'est ni une énergie, ni une force, mais quelque chose d'immatériel que la physique désigne sous le nom de « champ ».

En physique classique, la matière est représentée par des particules, alors que les forces sont décrites par des champs. La théorie quantique, au contraire, ne voit dans le réel que des interactions, lesquelles sont véhiculées par des entités médiatrices appelées « bosons ». Plus précisément, ces bosons véhiculent des forces et assurent les relations entre les particules de matière que la physique désigne sous le nom de « fermions », ces derniers formant les « champs de matière ».

Il nous faudra donc retenir que la théorie quantique abolit la distinction entre champ et particule et, du même coup, entre ce qui est matériel et ce qui ne l'est pas, autrement dit : entre la matière et son au-delà.

On ne pourra décrire un champ qu'en termes de transformations des structures de l'espace-temps dans une région donnée ; partant, ce qu'on appelle réalité n'est autre qu'une succession de discontinuités, de fluctuations, de contrastes et d'accidents de terrain qui, dans leur ensemble, constituent un réseau d'informations.

Mais toute la question est de savoir quelle est l'origine d'une telle information...

I. B. — Nous voici enfin face à l'ultime frontière : celle qui borne mystérieusement ce que nous appelons la réalité physique. Mais qu'y a-t-il au-delà ? Sans doute plus rien. Ou plutôt : plus rien de *tangible.*

J. G. — C'est là que commence le domaine de l'esprit. Le support physique n'est plus *nécessaire* pour porter cette intelligence, cet ordre profond que nous constations autour de nous. Or, ce « presque rien », comme le disait le philosophe Jankélévitch, c'est précisément *cela*, la substance du réel. Mais de quoi s'agit-il ?

G. B. — Descendons une fois de plus dans l'infiniment petit, au cœur de cette fameuse matière. Supposons que nous puissions nous introduire dans le noyau de l'atome : de quoi est composé le « panorama » que nous percevrons alors ? La physique nucléaire nous indique qu'à ce niveau de la matière, nous devons rencontrer des particules dites « élémentaires », dans la mesure où il n'existe rien de plus « petit » qu'elle : les quarks, les leptons et les gluons. Mais, une fois de plus, de quelle *étoffe* sont faites de telles particules ? Quelle est la « substance » d'un photon ou d'un électron ?

Jusqu'au milieu du siècle, on ne savait pas répondre à une telle question. Nous avons pu juger précédemment de la puissance de ces deux grands appareils de pensée que sont la relativité et la mécanique quantique. Or, une description complète de la matière impliquait une fusion de ces deux théories dans un nouvel ensemble. C'est précisément ce que comprit une nouvelle génération de physiciens vers la fin des années quarante. Ainsi, après des années de tâtonnements et d'efforts, est apparu ce que l'on appelle la « théorie quantique relativiste des champs ».

J. G. — Ce qui nous rapproche, semble-t-il, de la conception spiritualiste de la matière...

I. B. — Tout à fait. Dans cette perspective, une particule n'existe pas *par elle-même* mais uniquement à travers les *effets* qu'elle engendre. Cet ensemble d'effets s'appelle un « champ ». Ainsi, les objets qui nous entourent ne sont autres que des ensembles de champs (champ électromagnétique, champ de gravitation, champ protonique, champ électronique) ; la réalité essentielle, fondamentale, est un ensemble de champs qui interagissent en permanence entre eux.

J. G. — Mais dans ce cas, quelle est la *substance* de ce nouvel objet physique ?

I. B. — Au sens strict, un champ *n'a pas de substance* autre que vibratoire ; autrement dit, il s'agit d'un ensemble de vibrations potentielles, auxquelles sont associées des « quantons », c'est-à-dire des particules élémentaires, de différentes natures. Ces particules — qui ne sont autres que les manifestations « matérielles » du champ — peuvent se déplacer dans l'espace et entrer en interaction les unes avec les autres. Dans un tel cadre, la réalité sous-jacente est l'ensemble des champs possibles caractérisant les phénomènes observables, ceux-ci ne l'étant que par l'entremise des particules élémentaires.

J. G. — En somme, ce que décrit la théorie quantique relativiste des champs, ce ne sont pas les particules en tant que telles, en tant qu'objets, mais leurs interactions incessantes, innombrables, avec elles-mêmes.

I. B. — Ceci revient à dire, que le « fond » de la matière est introuvable, du moins sous la forme d'une *chose*, d'une ultime parcelle de réalité. Nous pouvons tout au plus percevoir les effets engendrés par la rencontre entre ces êtres fondamentaux, que l'on nomme particules élémentaires, au travers d'événements fugitifs, fantomatiques que nous disons être des « interactions ».

J. G. — Nous venons de franchir une étape importante dans cette marche qui, à travers la science, nous conduit vers Dieu.

En effet, la connaissance quantique que nous avons de la matière nous amène à comprendre qu'il n'existe *rien de stable* au niveau fondamental : tout est en perpétuel mouvement, tout change et se transforme sans cesse, au cours de ce ballet chaotique, indescriptible, qui agite frénétiquement les particules élémentaires. Ce que nous croyons immobile révèle en fait d'innombrables va-et-vient : des zigzags, des inflexions désordonnées, des désintégrations ou, au contraire, des expansions. Finalement, les objets qui nous entourent ne sont que vide, frénésie atomique et multiplicité. Entre mes mains, cette simple fleur. Quelque chose d'effroyablement complexe : la danse de milliards et de milliards d'atomes (dont le nombre dépasse tous les êtres possibles qu'on peut compter sur notre planète, les grains de sable de toutes les plages), atomes qui vibrent, oscillent autour d'équilibres instables. En regardant cette fleur, je pense ceci : il existe, dans notre univers, l'analogue de ce que les philosophes anciens appelaient des « formes », c'est-à-dire des types d'équilibre qui expliquent que les objets sont *cela* parce qu'ils sont *cela* et pas autrement. Or, aucun des éléments composant un atome, rien de ce que nous savons des particules élémentaires ne peut expliquer *pourquoi* et *comment* de tels équilibres existent. Ceux-ci reposent sur une cause qui, au sens strict, ne me paraît pas appartenir à notre univers physique. Ce que vous appelez « champ » n'est autre qu'une fenêtre ouverte sur un arrière-plan beaucoup plus profond, le Divin, peut-être.

Au fond, rien de ce que nous pouvons percevoir n'est vraiment « réel », au sens que nous donnons habituellement à ce mot. D'une certaine manière, nous sommes plongés au cœur d'une illusion, qui déploie autour de nous un cortège d'apparences, de leurres que nous identifions à la réalité. Tout ce que nous croyons sur l'espace et sur le temps, tout ce que nous imaginons à propos de la localité des objets et de la causalité des événements, ce que nous pouvons penser du caractère *séparable* des choses existant dans l'univers, tout cela n'est qu'une immense et perpétuelle hallucination, qui recouvre la réalité d'un voile opaque. Une réalité étrange, *profonde* existe sous ce voile ; une réalité qui ne serait pas faite de matière, mais d'esprit ; une vaste *pensée* qu'après un demi-siècle de tâtonnements, la nouvelle physique commence à comprendre, invitant les rêveurs que nous sommes à éclairer d'un feu naissant la nuit de nos rêves.

I. B. — Nous sommes ici en train d'atteindre le niveau fondamental du réel, d'appréhender sa substance ultime, l'étoffe dont il est fait. Or cette étoffe, *qu'est-ce que c'est?*

La réalité observable n'est rien d'autre qu'un ensemble de champs. Or, à ce stade, vos réflexions à propos d'un ordre transcendant prennent une ampleur étrange. En effet, les physiciens commencent à percevoir que ce qui caractérise un champ, c'est la symétrie, ou plus exactement, *l'invariance globale de symétrie.*

J. G. — Que voulez-vous dire ?

G. B. — Cet « ordre sous-jacent » sur lequel repose la nature et dont résulte tout ce que nous voyons est, en fait, la manifestation de quelque chose de très troublant, de totalement inexplicable jusqu'ici : la symétrie primordiale.

Supposons que nous fassions tourner un disque autour de son axe de rotation. Quel que soit le nombre de tours accomplis ou encore sa vitesse, la symétrie du disque autour de son axe reste inchangée. En termes plus rigoureux, le disque est soumis à une « invariance de jauge ». Toute symétrie requiert, comme l'ont démontré, vers la fin des années soixante, quelques physiciens particulièrement audacieux, l'existence d'un « champ de jauge » destiné à conserver l'invariance globale du disque, en dépit des transformations locales qu'il subit, point par point, au moment où il tourne.

J. G. — En somme, ce que vous appelez le champ de jauge serait ce qui empêche le disque de se déformer et, par là, de perdre sa symétrie originelle...

G. B. — C'est un peu cela, ramené à notre échelle. Cependant, n'oublions pas que nous sommes en train d'évoquer des phénomènes qui se produisent au sein de ce monde extraordinairement étranger qu'est l'infiniment petit.

J. G. — Avant d'aller plus loin, je souhaite faire partager ce que je ressens : une impression de bonheur intellectuel face à ce concept nouveau pour moi de *symétrie.* Depuis toujours, je sais ou plutôt je *sens* que notre univers repose sur un ordre sous-jacent, une sorte d'équilibre structurel qui a quelque chose d'admirable, de beau, comme peut l'être le caractère symétrique d'un objet. Et c'est pour cela que j'attends de la physique moderne qu'elle me dise en quoi, dans son intimité, la nature est « symétrique ».

I. B. — Revenons aux origines de l'univers. En résonance avec la formule biblique, nous pourrions dire qu'à cette époque lointaine, comprise entre quinze et vingt milliards d'années, était la symétrie. Souvenons-nous du big bang : au Temps de Planck règne la *symétrie absolue.* Elle se manifeste par la présence, dans l'univers naissant, de particules élémentaires évoluant quatre à quatre et dénommées gluons. Or, ces gluons sont de masse nulle et tous rigoureusement semblables, autrement dit *symétriques.*

A partir de là, on peut avancer l'hypothèse suivante : cette symétrie primordiale a été brisée par une soudaine rupture d'équilibre entre les masses des gluons : tandis que seul un gluon conserve une masse nulle (devenant ainsi le support de la force électromagnétique) les trois autres, au contraire, acquièrent une masse extrêmement élevée, cent fois supérieure à celle du proton. Ainsi est apparu ce que l'on appelle l'interaction faible, dont nous avons déjà mentionné l'existence précédemment.

J. G. — Si nous supposons que la symétrie, c'est-à-dire le parfait équilibre entre les entités originelles, caractérisait l'univers à ses débuts, la question est de savoir pourquoi une telle symétrie s'est « spontanément » brisée. Que s'est-il passé ?

G. B. — Personne ne le sait, du moins pas encore. L'une des explications, proposée par le physicien Peter Higgs, est qu'il existe des particules « fantômes », encore indétectables, et dont le rôle a consisté à briser la symétrie régnant entre les quantons originels.

J. G. — Un peu comme une boule roulant au milieu d'un jeu de quilles ordonnées...

G. B. — Exactement. Et l'un des défis de la physique à venir consistera à mettre en évidence ces fameuses particules fantômes, grâce à des accélérateurs de particules suffisamment puissants.

J. G. — En tout cas, il me plaît de retenir l'essentiel : l'univers-machine, l'univers granulaire, composé de matière inerte, n'existe pas. Le réel est sous-tendu par des champs, au premier rang desquels nous rencontrons un champ primordial, caractérisé par un état de suprasymétrie, un état d'ordre et de perfection absolus.

Est-ce que je vous étonnerai en concluant que cet état de perfection posé par la science aux origines de l'univers me semble appartenir à Dieu ?

I. B. — Votre conclusion appelle une évocation plus fine de ce qui, précisément, met un terme au déterminisme mécaniste et à toute approche matérialiste du réel.

Nous savons désormais que les particules élémentaires n'ont aucune existence *au sens strict,* qu'elles ne sont que les manifestations provisoires de champs immatériels. Ceci nous oblige donc à répondre à cette question : les champs sont-ils la réalité *ultime ?* Sont-ils des entités étrangères immergées dans la géométrie ? ou bien, au contraire, ne sont-ils rien d'autre que la géométrie elle-même ?

En fait, il découle de tout ce qui précède que l'espace et le temps sont, à leur tour, des projections liées aux champs fondamentaux et qu'ils n'ont aucune sorte d'existence indépendante. Autrement dit, l'image d'un espace *vide* servant de scène au monde matériel n'a pas davantage de sens que celle d'un temps absolu, où des phénomènes naissent et se développent au cours d'un enchaînement immuable de causes et d'effets.

J. G. — Faisons le point : nous savons désormais que les champs sont les véritables supports de ce que j'ai appelé l'*esprit de réalité ;* cependant, les réflexions que nous avons poursuivies laissent intacte cette question : de quoi ces champs sont-ils constitués ?

G. B. — D'abord, nous l'avons vu, le vide n'existe pas : il n'y a aucune région de l'espace-temps où l'on ne trouverait « rien » ; partout, nous rencontrons des champs quantiques plus ou moins fondamentaux. Bien plus : ce vide est le théâtre d'événements permanents, de fluctuations incessantes, de violentes « tempêtes quantiques » au cours desquelles de nouvelles entités infra-atomiques sont créées avant d'être, presque aussitôt, détruites.

I. B. — Il faut souligner que ces particules virtuelles, engendrées par les champs quantiques, sont plus que des abstractions ; aussi fantomatiques soient-elles, leurs effets existent dans le monde physique ordinaire et sont, par conséquent, mesurables.

J. G. — Si les êtres quantiques sont générés par des champs fondamentaux, autrement dit, s'ils proviennent du vide, qu'est-ce que la réalité fondamentale, sinon « quelque chose » dont l'étoffe n'est autre que de la pure information ?

G. B. — A l'appui de votre intuition, de plus en plus nombreux sont les physiciens pour qui l'univers n'est autre qu'une sorte de tableau informatique, une vaste matrice d'information. La réalité devrait alors nous apparaître comme un réseau d'interconnexions infinies, une réserve illimitée de plans et de modèles possibles qui se croisent et se combinent selon des lois qui nous sont inaccessibles et que nous ne comprendrons peut-être jamais.

J. G. — Sans doute est-ce à cela que pense le physicien David Bohm lorsqu'il affirme qu'il existe un *ordre implicite*, caché dans les profondeurs du réel. En ce sens, il nous faudrait admettre que l'univers tout entier est comme rempli d'intelligence et d'intention : depuis la moindre particule élémentaire, jusqu'aux galaxies. Et ce qui est extraordinaire, c'est que c'est du *même* ordre, de la *même* intelligence qu'il s'agit dans les deux cas.

I. B. — Je crois utile de préciser ce que pensent les physiciens lorsqu'ils affirment que l'univers n'est autre qu'un immense réseau d'information. L'un des chercheurs qui a formalisé cette hypothèse avec le plus d'enthousiasme est un physicien théoricien du nom d'Edward Fredkin. A ses yeux, sous la surface des phénomènes, l'univers fonctionne comme s'il était composé d'un treillis tridimensionnel d'interrupteurs, un peu comme les unités logiques d'un ordinateur géant. C'est pourquoi, dans cet univers-là, les particules infra-atomiques et les objets qu'elles engendrent par leurs combinaisons ne sont autres que des « schémas d'information » en perpétuel mouvement.

J. G. — Si Fredkin est dans le vrai, et que la mise au jour des lois permettant à l'information universelle d'ordonner le réel soit possible, nous comprendrons alors *pourquoi* les lois de la physique fonctionnent : la prochaine étape sera celle de la physique « sémantique », celle des significations. Cette révolution scientifique me semble ouvrir la troisième ère de la physique.

La première était celle de Galilée, de Kepler et de Newton, au cours de laquelle le catalogue des mouvements a été dressé sans que l'on ait expliqué ce qu'était le mouvement ; la deuxième est la physique quantique qui établit le catalogue des lois du changement sans expliquer la loi ; la troisième, encore à venir, est le déchiffrement de la loi physique elle-même.

G. B. — Force nous est cependant de reconnaître que la dévaluation des concepts de *matière* et d'*énergie* en faveur du « rien » de l'information ne se fera pas sans peine : comment abandonner le matériel physique qui fonde notre existence pour le remplacer par un « logiciel de signification » ? Et comment les éléments de connaissance durement acquis par la science peuvent-ils être convertis en ces nouveaux fondements ? Comment et où aller sonder les secrets de cet univers de signification ? Les processus fondamentaux qui gouvernent l'univers au niveau du « réseau d'information » sont, encore une fois, situés au-delà des quanta ; lorsque notre technologie nous permettra de pénétrer des niveaux d'existence encore plus infimes, peut-être commencerons-nous à assurer notre prise — précaire — sur le royaume nébuleux de l'information cosmique.

Au fond, tout se passe comme si l'esprit, dans ses tentatives pour percer les secrets du réel, découvrait que ces secrets ont quelque chose de commun avec lui-même. Le champ de conscience pourrait appartenir au même continuum que le champ quantique. N'oublions pas ce principe essentiel de la théorie quantique : l'acte même d'observation, autrement dit la conscience de l'observateur, intervient dans la définition et, plus profondément encore, dans l'existence de l'objet observé : l'observateur et la chose observée forment un seul et même système.

Cette interprétation du réel, directement issue des travaux de l'École de Copenhague, abolit toute distinction fondamentale entre matière, conscience et esprit : seule demeure une interaction mystérieuse entre ces trois élements d'une même Totalité. Rappelons-nous une des expériences les plus fascinantes de la physique quantique : celle des fentes de Young. Selon l'équation de Schrödinger, lorsque des particules de lumière passent à travers la fente d'un écran pour frapper le mur qui se trouve derrière, 10 % de ces particules iront heurter une zone A tandis que les 90 % restantes iront frapper une zone B. Or le comportement d'une particule prise isolément est imprévisible : seul le modèle de distribution d'un grand nombre de particules obéit à des lois statistiques prévisibles. Si nous envoyons les particules une par une à travers la fente, il nous semblera, après que 10 % d'entre elles auront heurté la zone A, que les particules suivantes « savent » que la probabilité est accomplie, et qu'elles devront esquiver cette zone.

Pourquoi ? Quel type d'interaction existe-t-il donc entre chaque particule ? échangent-elles quelque chose de l'ordre du signal ? Puisent-elles, à même le réseau du champ quantique, l'information propice à guider leur comportement ?

C'est ce que nous allons tenter de découvrir en décomposant, phase par phase, la célèbre expérience des Fentes de Young...

L'ESPRIT DANS LA MATIÈRE

I. B. — Pour aller chercher ce que nous appelons l' « esprit » au cœur de la matière, nous allons maintenant pénétrer au cœur de l'étrangeté quantique, en abordant une expérience troublante qui, depuis bien des années, débouche sur un profond mystère. Cette expérience, dont nous avons déjà dit quelques mots, est connue sous le nom d' « expérience de la double fente » : elle constitue l'élément fondamental de la théorie quantique.

J. G. — Pour quelle raison ?

G. B. — Parce que, comme l'a dit un jour le physicien américain Richard Feynman, elle met en évidence « un phénomène qu'il est impossible d'expliquer d'une manière classique et qui abrite le cœur de la mécanique quantique. En réalité, il renferme le seul mystère... »

I. B. — Si nous voulons parvenir non pas à résoudre un tel mystère mais, simplement, à nous faire une idée — même vague — de ce qu'il recouvre, nous allons devoir abandonner, une fois de plus, nos dernières références au monde quotidien.

J. G. — Niels Bohr avait une façon particulière de décrire cette étrangeté à laquelle vous faites allusion. Lorsque quelqu'un venait lui exposer une idée nouvelle susceptible de résoudre l'une des énigmes de la théorie quantique, il s'amusait à lui répondre : « Votre théorie est folle, mais elle ne l'est pas assez pour être vraie. »

G. B. — En ce sens, la réussite de la théorie quantique est de s'être édifiée en marge et, le plus souvent, *contre* la raison ordinaire. C'est pourquoi il y a quelque chose de « fou » dans cette théorie, quelque chose qui dépasse désormais la science. Sans que nous le sachions encore clairement, c'est notre représentation du monde qui est en jeu et commence irréversiblement à basculer.

J. G. — Pouvons-nous revenir sur un exemple d'un tel basculement ?

G. B. — Prenons une fleur. Si je décide de la placer hors de ma vue, dans une autre pièce, elle n'en continue pas moins d'exister. C'est, en tout cas, ce que l'expérience quotidienne me permet de supposer. Or la théorie quantique nous dit tout autre chose : elle soutient que si nous observons cette fleur avec assez de finesse, c'est-à-dire au niveau de l'atome, sa réalité profonde et son existence sont intimement liées à la façon dont nous l'observons.

J. G. — Je suis prêt à admettre que le monde atomique n'a aucune existence définie tant que nous n'avons pas braqué sur lui un instrument de mesure. Ce qui compte, c'est le jeu de conscience à conscience : pour reprendre une expression mathématique : le rôle de « quantificateur existentiel » qui, désormais, revient à l'esprit et à lui seul au cœur de cette réalité qu'à tort nous persistons à appeler *matérielle.*

I. B. — Ce jeu de conscience à conscience, nous allons maintenant essayer de l'établir clairement en revenant, dans le détail, vers cette fameuse expérience que le physicien anglais Thomas Young a réalisée pour la première fois en 1801.

A nouveau, imaginons le dispositif : une surface plane percée de deux fentes, une source lumineuse située devant ainsi qu'un écran, placé derrière.

A partir de là, que se passe-t-il lorsque les « grains de lumière » que sont les photons traversent les deux fentes et rencontrent l'écran disposé à l'arrière ?

La réponse, depuis 1801, est classique : on

observe sur l'écran une série de raies verticales, alternativement sombres et claires, dont le tracé général évoque immédiatement le phénomène des interférences.

J. G. — Dans ce cas, on devrait être en mesure de conclure, comme le fit d'ailleurs Young, que la lumière est comparable à un fluide, qui se propage grâce à des ondes, celles-ci étant de même nature que des vagues dans l'eau.

Or, nous l'avons déjà souligné, ce n'est pas la conclusion d'Einstein. Pour lui, la lumière est faite de petits grains, les photons. Ma question est donc celle-ci : comment des myriades de grains tourbillonnant, séparés les uns des autres, peuvent-ils constituer les figures cohérentes et précises de bandes successivement obscures et claires ?

G. B. — C'est précisément là le mystère. Pour en saisir l'ampleur, je propose de conduire l'expérience étape par étape.

Supposons tout d'abord que je ferme l'une des deux fentes, la gauche par exemple. Dans ce cas, les photons vont devoir passer par la seule fente de droite. Réduisons l'intensité de la source lumineuse de façon à ce qu'elle émette les photons *un par un.*

A présent, « tirons » un photon. Un instant plus tard, celui-ci passe par la seule fente ouverte et finit par rencontrer l'écran. Comme nous connaissons son origine, sa vitesse et sa direction, nous devrions, à l'aide des lois de Newton, prédire *exactement* le point d'impact de notre photon sur l'écran.

Introduisons maintenant un élément nouveau dans l'expérience : nous allons ouvrir la fente de gauche. Puis, nous suivons la trajectoire d'un nouveau photon en direction de la même fente, celle de droite. Rappelons que notre deuxième photon part du même endroit que le premier, se déplace à la même vitesse et dans la même direction.

J. G. — Si j'ai bien compris, la seule différence au cours de ce deuxième « tir de photon », c'est que, contrairement au premier cas, la fente de gauche est désormais ouverte...

G. B. — Exactement. En toute logique, le photon numéro deux devrait heurter l'écran exactement au même endroit que le photon numéro un.

Or, ce n'est pas du tout ce qui se passe.

En effet, le photon numéro deux vient frapper l'écran en un tout autre endroit, parfaitement distinct du point d'impact précédent. Autrement dit, tout se passe comme si le comportement du photon numéro deux avait été *modifié* par l'ouverture de la fente de gauche. Le mystère est donc celui-ci : comment le photon a-t-il « découvert » que la fente de gauche était ouverte ? Avant de tenter une réponse, allons plus loin. En effet, continuons à expédier des photons un par un en direction de la plaque, sans « viser » l'une ou l'autre fente. Que constatons-nous au bout d'un certain temps ? Contre toute attente, que l'accumulation des impacts de photons sur l'écran reforme *progressivement* la trame d'interférence produite *instantanément* au cours de l'expérience initiale.

Ici encore, une question sans réponse se pose : comment chaque photon « sait-il » *quelle* partie de l'écran il doit heurter pour former, avec ses voisins, une image géométrique, représentant une suite de raies verticales parfaitement ordonnées ? C'est précisément cette question qu'a posée, en 1977, le physicien américain Henry Stapp, profondément ébranlé par de tels résultats : « Comment la particule sait-elle qu'il y a deux fentes ? Comment l'information sur ce qui se passe partout ailleurs est-elle réunie pour déterminer ce qu'il est probable d'advenir ici ? »

J. G. — On a presque l'impression que les photons sont dotés d'une sorte de *conscience* rudimentaire, ce qui me ramène irrésistiblement vers le point de vue de Teilhard de Chardin pour qui tout dans l'univers, jusqu'à la plus infime particule, est porteur d'un certain degré de conscience...

I. B. — En l'état actuel de la science, la majorité des scientifiques ne partage pas cet avis. Cependant, quelques-uns sautent le pas et vont jusqu'à imaginer que les particules élémentaires sont dotées d'une propriété plus ou moins comparable au libre arbitre. C'est par exemple le cas du physicien américain Evan Walker, qui a exposé, en 1970, la surprenante thèse que voici : « La conscience peut être associée à tous les phénomènes quantiques... puisque tout événement est en *dernière instance* le produit d'un ou de plusieurs événements quantiques, l'univers est *habité* par un nombre presque illimité d'entités conscientes, discrètes (au sens mathématique), généralement non pensantes, qui ont la responsabilité du fonctionnement de l'univers. »

G. B. — Sans aller jusqu'à parler de conscience, il est tout de même troublant de constater à quel point la réalité observée est ici liée au point de vue adopté par l'observateur. Donnons un autre exemple. Supposons que je parvienne à repérer par quelle fente passe chacun des photons participant à l'expérience.

Dans ce cas, aussi surprenant que cela paraisse, je ne constate pas sur l'écran la formation d'une trame d'interférences ! Autrement dit, si je décide de vérifier expérimentalement que le photon est bien une particule franchissant une fente définie, alors notre photon se comporte très exactement comme une particule passant par un orifice.

Au contraire, si je ne m'évertue pas à suivre la trajectoire de chaque photon durant l'expérience, alors la distribution des particules sur l'écran finit par former une figure d'interférences d'ondes.

J. G. — En somme, on a ici l'impression que les photons « savent » qu'on les observe et, plus exactement encore, de *quelle façon* ils sont observés.

I. B. — C'est un peu cela. Quoiqu'il soit illusoire de penser que le concept de conscience est transposable aux entités peuplant l'univers quantique.

En revanche, cette étonnante expérience confirme que parler de l'existence objective d'une particule élémentaire en un point défini de l'espace n'a pas de sens. Une fois encore, une particule n'existe sous la forme d'un objet ponctuel, défini dans l'espace et le temps, que lorsqu'elle est directement observée.

G. B. — Au fond, la seule manière de comprendre les résultats d'une telle expérience consiste à abandonner l'idée que le photon est un objet déterminé. En réalité, il n'existe que sous la forme d'une onde de probabilité, qui franchit simultanément les deux fentes et interfère avec elle-même sur l'écran.

J. G. — J'en conclus qu'il n'existe pas de meilleur exemple d'interpénétration entre la matière et l'esprit : quand nous tentons d'observer cette onde de probabilité, elle se transforme en une particule précise ; au contraire quand nous ne l'observons pas, elle garde toutes ses options ouvertes. Voilà qui amène à penser que le photon manifeste une connaissance du dispositif expérimental : y compris de ce que fait et pense l'observateur. En un certain sens, les parties sont donc en rapport avec le tout...

I. B. — En somme, le monde se détermine *au tout dernier moment*, à l'instant de l'observation. Avant, rien n'est réel, au sens strict. Aussitôt que le photon a quitté la source lumineuse, il cesse d'exister en tant que tel, devient un train de probabilité ondulatoire.

Le photon originel est alors remplacé par une série de « photons fantômes », une infinité de doublures qui suivent des itinéraires différents jusqu'à l'écran.

J. G. — Et il suffit que nous observions cet écran pour que tous les fantômes, à l'exception d'un seul, s'évanouissent. Le photon restant devient alors réel.

G. B. — Cela pose la question de savoir ce que devient un objet quantique lorsque nous cessons de l'observer : se divise-t-il à nouveau en une infinité de particules fantômes pour cesser, tout simplement, d'exister ?

I. B. — Cette notion de particules fantômes a une conséquence intéressante du point de vue philosophique, point de vue qui n'a pas échappé à Niels Bohr. Dès 1927, en effet, le grand théoricien a suggéré que l'idée d'un monde unique pouvait être fausse. Revenons un instant à l'expérience de la double fente : selon Bohr, rien ne nous empêche de concevoir que les deux cas de figure (représentés par les deux itinéraires possibles du photon qui franchit soit la fente A, soit la fente B) correspondent, en fait, à deux mondes totalement différents l'un de l'autre.

J. G. — Que voulez-vous dire par là ?

I. B. — Que dans ce monde possible, la particule passe par l'orifice A, tandis qu'il existe un deuxième monde dans lequel elle franchit l'orifice B.

G. B. — Pour aller jusqu'au bout du raisonnement, il faut ajouter que notre monde réel résulte d'une superposition de ces deux réalités alternatives qui, elles-mêmes, correspondent aux deux itinéraires possibles du photon. Aussitôt que nous observons l'écran pour savoir par quelle fente est passée la particule, la deuxième réalité s'évanouit instantanément, ce qui supprime les interférences.

J. G. — Ce qui vient d'être dit autorise à risquer deux conclusions extrêmes.

La première débouche sur cette idée neuve, encore jamais évoquée en philosophie : ce ne seraient pas seulement des particules fantômes qui existeraient à côté de notre réalité, mais des univers complets, des mondes « parallèles » au nôtre. Dans ce cas, nous cheminerions dans un dédale où une infinité de mondes possibles enserreraient notre étroit sentier, tous également réels et vrais, mais inaccessibles. J'évoquerai plus loin en quoi cette thèse me paraît très incertaine.

Le deuxième point, c'est que *personne* n'est en mesure d'expliquer ce qui se passe au niveau du photon au moment où il « choisit » de passer par A ou par B. Le mystère, c'est que, face à la fente A, le photon semble savoir que la fente B est ouverte ou fermée. En somme, il paraît connaître l'état quantique de l'univers. Or, qu'est-ce qui permet au photon de choisir tel ou tel itinéraire ? Qu'est-ce qui renvoie au néant les mondes fantômes ? Simplement la conscience de l'observateur. Et nous voici ramenés vers l'esprit : aux extrémités invisibles de notre monde, au-dessous et au-dessus de notre réalité, se tient l'esprit. Et c'est peut-être là-bas, au cœur de l'étrangeté quantique, que nos esprits humains et celui de cet être transcendant que nous appelons Dieu sont amenés à se rencontrer.

Encore un mot : l'expérience que nous avons décrite nous montre que nous ne vivons pas dans un monde déterminé : au contraire, nous sommes libres et avons le pouvoir de tout changer à chaque instant. C'est pourquoi les particules élémentaires ne sont pas des fragments de matière mais, simplement, les dés de Dieu.

I. B. — Nous tenons ici une occasion de réconcilier Einstein avec les tenants de la théorie quantique. En effet, comme l'affirme la théorie en question, les dés existent bel et bien ; toutefois, conformément au point de vue d'Einstein, ce n'est pas Dieu qui joue avec ses dés, mais l'homme lui-même.

J. G. — Et c'est à nous qu'il appartient à chaque instant de savoir les faire rouler dans la bonne direction.

Il est difficile — voire impossible — de nier qu'un réglage extraordinaire des paramètres physiques est nécessaire pour que la conscience (fondée sur la chimie du carbone) fasse son apparition. Chez Voltaire, Pangloss ne croyait pas si bien dire lorsqu'il proclamait : « Tout est bien dans le meilleur des mondes. »

Et si, précisément, notre univers n'était pas le seul univers possible ? Autrement dit : existe-t-il, aux côtés du nôtre, d'autres univers « parallèles » qui nous seront à jamais inaccessibles ? Dès lors, si notre univers n'est qu'une version parmi d'autres d'une quantité infinie d'univers possibles, la fabuleuse précision du réglage des conditions initiales et des constantes physiques n'est plus du tout surprenante.

Pourtant, force est de reconnaître que la notion d'univers multiples ne repose sur aucun fondement scientifique vérifiable. Et une fois de plus, nous voici confrontés à un univers unique : le seul univers possible dont les conditions initiales d'apparition et les constantes physiques ont été fixées avec une précision vertigineuse.

Dès lors, la matière contient au premier instant les germes de l'éclosion de la conscience, et la gestation cosmique va mener inexorablement jusqu'à nous.

LES UNIVERS DIVERGENTS

G. B. — Il arrive parfois que les idées les plus folles, celles dont on pense qu'elles n'auront jamais la moindre chance de se réaliser un jour, finissent par déboucher sur une formulation scientifique. C'est ce qui est en train de se produire avec une interrogation qui, d'emblée, paraît tellement déraisonnable que la plupart d'entre nous n'imaginent même pas la poser. Née de l'observation du monde *tel qu'il est*, cette question porte sur le monde tel qu'il *pourrait* ou *aurait pu* être.

Commençons par l'exemple le plus simple. Il nous est souvent arrivé, après avoir accompli une action quelconque, de nous demander ce qui se serait passé si nous ne l'avions pas accomplie : dans quelle mesure notre vie quotidienne en aurait-elle été modifiée ? A l'inverse, il est encore plus fréquent que nous tentions d'imaginer *ce qui aurait pu survenir* si nous avions réalisé tel ou tel projet : en quoi le monde qui nous entoure aurait-il alors changé ? Et peu à peu, parfois sans même nous en rendre compte, voilà que nous nous mettons à imaginer d'autres mondes possibles, à élaborer des pans entiers d'une autre rame historique, issue d'un univers parallèle au nôtre.

J. G. — Le problème que vous posez est singulièrement ardu. Je me suis par exemple souvent demandé ce qui se serait passé si Louis XVI n'avait pas « par hasard » été reconnu à Varennes ? Si Napoléon Ier avait remporté la victoire à Waterloo ?

La première chose qui me frappe, c'est le caractère souvent « gratuit », contingent, que revêt tel ou tel développement de l'histoire. Chaque fois que nous étudions dans le détail la genèse d'un événement, aussitôt que nous essayons de comprendre pourquoi telle chose s'est produite, nous voyons apparaître une foule de facteurs jusqu'alors invisibles, reliés arbitrairement au sein d'une chaîne qui paraît relever davantage du « hasard » que d'un *destin* explicite. Nous sommes donc logiquement en droit de nous dire, lorsque nous nous penchons sur notre vie quotidienne, qu'il aurait suffi *d'un rien* pour que tel événement n'ait pas lieu, ou au contraire, d'un tout petit quelque chose pour que tel autre survienne. Dans les deux cas, la réalité que nous connaissons aurait été différente.

A partir de là, grande est la tentation de se dire ceci : il existe, peut-être, d'autres univers, des univers *parallèles* au nôtre, dans lesquels mon histoire (et plus généralement celle de l'humanité entière) s'est déroulée différemment. Par exemple, il y a peut-être un monde où l'on peut rencontrer un Jean Guitton en tout point semblable à moi-même, à ceci près qu'il n'a jamais décidé de vouer son existence à la philosophie.

I. B. — Restons un instant sur ce point : est-ce qu'il vous apparaît, avec le recul, que votre vie aurait pu prendre un chemin différent ? Avez-vous le souvenir précis d'un moment de votre existence où tout aurait pu basculer ?

J. G. — Sans aucun doute. Pour moi, ce moment du choix entre les mondes possibles, cet instant si troublant durant lequel il faut donner vie à un univers et, simultanément, en renvoyer un autre au néant, a eu lieu l'année de mes vingt ans, en 1921. J'étais inscrit depuis deux ans à l'École Normale supérieure, dans la section des lettres. Or je suis presque certain que je serais resté un « littéraire » si un événement bien précis ne m'avait pas fait bifurquer. Un beau jour, le directeur de l'École, M. Lanson, eut la belle idée de demander au grand philosophe Émile Boutroux de venir faire une conférence aux jeunes élèves que nous étions. Boutroux était un vivant monument de pensée. Beau-frère du plus illustre mathématicien de son temps, Henri Poincaré, il représentait pour moi l'essence même de la philosophie. Aujourd'hui, soixante-dix ans plus tard, je revois encore sa grande silhouette voûtée pénétrer lentement dans la salle dite Salle des Actes, où nous étions réunis. Puis sa voix, comme à demi éteinte, s'éleva dans le vide, au-dessus de nos têtes, et il commença à nous parler de la science, et, plus tard, de Dieu. Les heures, doucement, avaient passé, et un grand silence, semblable au silence du grand Tout dans le détail des êtres, nous avait enveloppés. Alors, sentant peut-être que la parole qui montait dans le soir, comme un lent changement du temps, risquait d'être son dernier acte philosophique, le vieil homme leva la tête et acheva, dans un murmure : « Tout est un, mais l'un est dans l'autre, comme les trois personnes. »

Un souffle, semblable à une lame de vent, tourna alors dans l'air absolument silencieux, et je savais qu'à cet instant unique, si beau mais si tragique, quelque chose, à jamais, prenait fin.

« Messieurs, dit-il en se levant, je vous remercie. »

Trois mois plus tard, par une froide journée de novembre, eurent lieu les funérailles d'Émile Boutroux. Comme je passais devant le lycée

Montaigne, j'aperçus alors la silhouette noire de M. Lanson, notre directeur, qui avançait péniblement contre le vent. Je lui fis un signe et, poussé par le souvenir du philosophe qui venait de disparaître, je lui dis : « Monsieur le directeur, j'ai décidé... de quitter... la section des lettres... pour entrer dans la section de philosophie. » Monsieur Lanson posa alors sur moi un regard qui me parut venir de très loin : « La section des lettres était en effet un peu chargée. Je vous remercie d'avoir rétabli l'équilibre. »

A partir de ce jour, j'avais définitivement changé d'univers : j'étais, désormais, un « philosophe ». Pourtant, ma conviction est que si le grand Boutroux n'était pas venu trois mois plus tôt pour nous parler, je serais peut-être devenu professeur de lettres, ou bien romancier. En tout cas, Jean Guitton, celui que je tiens pour le vrai, le seul Jean Guitton, n'aurait pas existé.

I. B. — A présent, allons plus loin. A l'exemple de Niels Bohr, risquons cette idée *insensée :* non seulement un Jean Guitton « littéraire » aurait pu apparaître, mais il existe *bel et bien* dans un autre univers, un univers en quelque sorte parallèle au nôtre, mais à jamais coupé de lui. A partir de là, rien ne nous empêche de penser qu'il peut exister une troisième, puis une quatrième et, de proche en proche, une infinité de versions différentes du Jean Guitton que nous connaissons.

G. B. — Cette hypothèse des univers parallèles a été proposée afin de résoudre certains paradoxes issus de la physique quantique qui, comme on le sait, décrit la réalité en termes de probabilités. Il faut se souvenir que cette interprétation d'un monde où nombre d'événements ne peuvent être prédits avec exactitude mais simplement décrits comme *probables* déplaisait à un grand nombre de physiciens, parmi lesquels Albert Einstein lui-même. Et c'est pour montrer les limites des idées probabilistes que le physicien autrichien Erwin Schrödinger proposa la petite histoire que voici.

Imaginons qu'un chat soit enfermé dans une boîte qui contient un flacon de cyanure. Au-dessus du flacon, il y a un marteau dont la chute est contrôlée par la désintégration d'une matière radioactive. Dès que le premier atome se désintègre, le marteau tombe, brise le flacon et libère le poison : le chat est mort. Jusqu'ici, il n'y a apparemment rien d'extraordinaire.

Pourtant, le problème surgit dès que, sans l'ouvrir, nous tentons de prédire ce qui s'est passé à l'intérieur de la boîte. Selon les lois de la physique quantique, en effet, il n'y a aucun moyen de savoir à quel moment aura lieu la désintégration radioactive qui déclenchera le dispositif mortel. Tout au plus peut-on dire, en termes de probabilités, qu'il y a, par exemple, 50 % de chances pour qu'une désintégration se produise au bout d'une heure. Par conséquent, si nous ne regardons pas à l'intérieur de la fameuse boîte, notre pouvoir de prédiction sera bien mince : nous aurons une chance sur deux de nous tromper en affirmant, par exemple, que le chat est vivant. En fait, à l'intérieur de la boîte, règne un étrange mélange de réalités quantiques, composé de 50 % de chat vivant, et de 50 % de chat mort, situation que Schrödinger trouvait inacceptable.

Pour remédier à ce paradoxe, le physicien américain Hugh Everett fit alors appel à la théorie des « univers parallèles » selon laquelle, au moment de la désintégration, l'univers se diviserait en deux pour donner naissance à deux réalités distinctes : dans le premier univers, le chat serait vivant, dans le second, il serait mort. Aussi réels l'un que l'autre, ces deux univers se seraient, en quelque sorte, dédoublés pour ne plus jamais se rencontrer. Et on peut ainsi postuler l'existence d'une infinité d'univers qui nous seraient interdits à tout jamais.

I. B. — Du point de vue quantique, tous ces univers possibles, en quelque sorte adjacents les uns aux autres, coexistent. Revenons à l'exemple du chat de Schrödinger : avant l'observation, il y a dans la boîte deux chats superposés : l'un est mort tandis que l'autre est vivant. Ces deux chats appartiennent à deux mondes possibles totalement différents l'un de l'autre. Toutefois, si j'applique à la lettre l'interprétation de Copenhague, la fonction d'onde portant simultanément les deux chats s'effondre au moment de l'observation, entraînant dans sa chute l'un des deux félins. La disparition de celui-ci provoque instantanément l'annulation du deuxième monde possible.

G. B. — Plus précisément encore, l'interprétation de Copenhague énonce que les deux états du chat, correspondant aux deux aspects possibles de la fonction ondulatoire, sont l'un comme l'autre irréels : simplement, lorsque nous regardons à l'intérieur de la boîte, l'un des deux se matérialise.

J. G. — En ce sens, c'est l'acte même d'observation et la prise de conscience qu'il entraîne qui non seulement infléchissent la réalité mais la déterminent ! La mécanique quantique souligne avec éclat l'évidence d'une liaison intime entre l'esprit et la matière. Comment alors ne serais-je pas soulevé par un immense bonheur de penseur ? Voici la confirmation de ce en quoi je crois depuis toujours : la souveraineté de l'esprit sur la matière.

I. B. — Une belle conclusion, qu'un petit nombre de physiciens, néanmoins, s'efforce de contourner en faisant appel à une hypothèse pour le moins étrange, dont les conséquences vont bien au-delà de tout ce que la plupart des hommes de science sont prêts à admettre : l'hypothèse des mondes multiples.

Cette surprenante interprétation de la mécanique quantique a été proposée pour la première fois voici quelques années par un jeune physicien de l'université de Princeton, Hugh Everett.

Revenons à notre désormais célèbre chat de Schrödinger. Alors désireux de proposer des idées originales pour sa thèse de doctorat, Everett partit du point de vue suivant : il n'y a pas un mais deux chats à l'intérieur de la boîte, tout aussi réels l'un que l'autre. Simplement, tandis que le premier est vivant, le second est mort et l'un comme l'autre se trouvent dans deux mondes différents.

J. G. — Que signifie ce phénomène de dédoublement ?

I. B. — Dans l'esprit d'Everett, à peu près ceci : confronté à un « choix » lié à un événement quantique, l'univers est contraint de se diviser en deux versions de lui-même, identiques en tous points.

Il existerait ainsi un premier monde où l'atome se volatilise, causant la mort du chat —

constatée par l'observateur. Toutefois, il y aurait également un deuxième monde, tout aussi réel, où l'atome ne se serait pas désintégré et où, par conséquent, le chat serait toujours vivant.

Désormais nous aurions donc affaire à deux mondes différents l'un de l'autre, deux univers entre lesquels il n'y aurait plus aucune communication possible. Deux mondes dont les histoires respectives pourraient progressivement se différencier, diverger jusqu'à devenir totalement étrangères l'une à l'autre.

J. G. — Dans ce cas, notre réalité ne serait pas unique mais entourée d'une myriade de doublures plus ou moins différentes, chacune d'elles se divisant au cours d'un vertigineux processus qui n'a pas de fin.

I. B. — Oui. Car si nous acceptons cette hypothèse, à chaque instant, sur terre tout comme dans le reste du cosmos, sur chaque étoile et dans chaque galaxie, il se produit des transitions quantiques, c'est-à-dire des phénomènes qui conduisent notre monde à se diviser en une infinité de copies, celles-ci donnant à leur tour naissance à d'autres copies, et ainsi de suite.

J. G. — Il y aurait donc au moment même où je parle dix puissance cent copies de moi-même, plus ou moins semblables, qui, chacune, donnerait naissance à dix puissance cent nouvelles copies, et ce à l'infini ?

Que les tenants de cette hypothèse veuillent bien me pardonner, mais j'ai plusieurs bonnes raisons, du point de vue philosophique, pour la juger inapplicable à notre réalité. Ne nous trompons pas : je suis naturellement prêt à admettre que, par exemple, un Jean Guitton plus ou moins différent de moi (par exemple un Jean Guitton qui n'aurait jamais tenté de faire de la peinture) aurait pu exister. Mais c'est autre chose de dire qu'il vit bel et bien dans un « ailleurs » tout aussi vrai que celui-ci mais inaccessible.

Réfléchissons : affirmer qu'il existe, telles des images dans un miroir, une myriade d'autres mondes parallèles au nôtre, c'est supposer que non seulement tout ce qui est possible, mais également tout ce qui est imaginable, advient réellement. Nous devrions donc poser l'existence, bien au-delà de simples variantes issues de notre univers, de mondes monstrueusement autres, de réalités errantes, reposant sur des structures et des lois totalement étrangères à tout ce que nous pouvons même penser. Or, face à un tel déferlement, face à ces innombrables mondes enchaînés dans la trame des virtualités, lequel serait « le bon » ? Autrement dit, y aurait-il un monde de référence, un monde modèle dont tous les autres seraient issus? Force est de reconnaître que non : chacun de ces univers tirerait sa légitimité de sa propre existence, à égalité avec une infinité d'autres. Notre propre réalité ne serait donc ni meilleure ni plus légitime qu'une autre, noyée telle une gouttelette dans un océan sans limites.

I. B. — Il nous faut préciser que la plupart des physiciens rejettent cette thèse, à l'exemple de certains de ses fondateurs, en particulier l'audacieux théoricien américain John Wheeler. Lors d'un symposium consacré à Albert Einstein, quelqu'un lui demanda son opinion à propos de la théorie des mondes multiples, et il répondit ceci : « J'avoue que j'ai dû me désolidariser, à contrecœur, de cette hypothèse, en dépit de la vigueur avec laquelle je l'ai soutenue à l'origine, car je crains que ses implications métaphysiques ne soient excessives. »

Pour ma part, je suis tenté de croire que cette interprétation de la mécanique quantique conduit à des conclusions radicalement inverses de celles proposées par le groupe de Copenhague. Pour simplifier, on peut dire que dans l'interprétation de Copenhague, rien n'est réel alors qu'au contraire, pour les théoriciens des mondes multiples, tout est réel.

G. B. — La pensée de Copenhague exclut en effet la possibilité de mondes alternatifs. Derrière chaque élément appartenant à notre réalité, il y a d'innombrables éléments virtuels, chacun d'eux faisant référence à des univers fantômes, des réalités qui pourraient exister mais qui n'ont aucune consistance tant qu'elles n'ont pas été « matérialisées » par un observateur. L'état quantique renvoie à un monde situé au-delà du monde humain, un monde où une infinité de solutions virtuelles, de mondes potentiels, sont amenés à coexister. Dans cette perspective, on peut donc admettre que les univers dits « parallèles » n'existent que dans le domaine quantique, c'est-à-dire à l'état virtuel.

I. B. — Précisons ce point. Avant qu'elle ait fait l'objet d'une observation, une particule élémentaire existe sous la forme d'un « paquet d'ondes ». Autrement dit, tout se passe comme s'il existait une infinité de particules, chacune d'elles ayant une trajectoire, une position, une vitesse, en bref des caractérisques différentes de toutes les autres. Or, au moment de l'observation, la fonction d'onde s'effondre, et une seule de ces particules innombrables est amenée à se matérialiser, annulant d'un coup toutes les « particules parallèles ». Et au moment où un événement se matérialise dans la longue chaîne de phénomènes formant l'histoire de notre univers, une infinité d'événements virtuels s'évanouit, engloutissant dans son sillage une myriade de mondes fantômes.

Seule reste alors notre réalité, unique et indivisible.

J. G. — Ce que vous venez de dire suscite une question : qu'est-ce qui provoque l'effondrement de la fonction d'onde caractérisant un phénomène ? Tout simplement l'acte d'observation. En ce sens et par analogie, nous pouvons parfaitement considérer que notre univers résulte de l'effondrement d'une sorte de « fonction d'onde universelle », effondrement provoqué par l'intervention d'un observateur extérieur.

Supposons, ainsi, que notre univers soit comme entouré par un halo de réalités alternatives, celles-ci reposant sur une infinité de fonctions ondulatoires imbriquées. A partir de là, rien ne m'empêche d'avancer l'hypothèse selon laquelle ce réseau complexe de fonctions ondulatoires en interaction s'effondre en un monde unique lorsqu'il est observé. Or, toute la question est là : *qui* donc observe l'univers ?

Voici ma réponse : les univers parallèles, les réalités alternatives n'existent pas. Il n'y a que des réalités virtuelles, des embranchements possibles qui s'effacent pour faire place à notre réalité unique aussitôt qu'intervient ce grand observateur qui, du dehors, infléchit à chaque instant l'évolution cosmique. On comprendra alors pourquoi cet observateur, à la fois unique et transcendant, est absolument indispensable à l'existence et à l'accomplissement de notre univers.

Et on comprendra enfin que pour moi, cet observateur cosmique a un nom.

Si nous acceptons l'idée selon laquelle la réalité n'est que le fruit des interactions de champs entre des entités fondamentales dont nous ignorons tout, ou presque, il nous faudra admettre que le monde est un peu comparable à un miroir déformant dans lequel nous saisissons, tant bien que mal, les reflets de quelque chose qui demeurera à jamais incompréhensible.

La physique quantique nous a contraints à dépasser nos notions habituelles d'espace et de temps. L'univers repose sur un ordre global et indivisible, tant à l'échelle de l'atome qu'à celle des étoiles. Une influence omniprésente, mystérieuse, énigmatique, fait que chaque partie contient le tout et que le tout reflète chaque partie. Tous les êtres vivants dans l'univers, les objets familiers, les vêtements que nous portons contiennent la Totalité enfouie en eux.

Mais de quelle Totalité s'agit-il ?

A L'IMAGE DE DIEU

J. G. — Nous voici à la fin de notre dialogue. Tout au long de nos rencontres, nous avons ouvert une fissure dans les hautes murailles édifiées par la science classique. Derrière ce mur, nous devinons à présent un décor enveloppé de brumes, un paysage miroitant, subtil à l'infini, dont l'horizon est immensément lointain. A la lumière de la théorie quantique, bien des mystères s'éclairent d'une interprétation nouvelle, rencontrent une sorte de *cohérence*, sans rien perdre, cependant, de leur vérité originelle. En particulier, la physique moderne laisse entrevoir ceci : l'esprit de l'homme émerge de profondeurs se situant bien au-delà de la conscience personnelle : plus on va profond, plus on se rapproche d'un fondement universel qui relie la matière, la vie, et la conscience.

I. B. — A l'appui de ce que vous énoncez il suffit de rappeler ici une expérience insolite conduite par le physicien français Léon Foucault en 1851. Souvenez-vous : à cette époque, Foucault voulait simplement démontrer que la Terre tournait sur elle-même. Pour cela, il a donc suspendu une pierre très lourde à une longue corde dont l'extrémité était fixée sous les voûtes du Panthéon. Foucault disposait donc d'un pendule de très grande taille. Or une fois lancé, ce pendule montra quelque chose de très étonnant : à mesure que les heures s'écoulaient, le plan d'oscillation du pendule (c'est-à-dire la direction dans laquelle il se déplaçait dans ses aller et retour) pivotait autour de l'axe vertical. Alors qu'il avait commencé par osciller dans la direction est-ouest, le pendule se déplaçait quelques heures plus tard dans la direction nord-sud. Pour quelle raison ?

Foucault répondit que ce changement de direction n'était qu'une apparence : selon lui, le plan était fixe et c'était en réalité la Terre qui tournait.

J. G. — Certes. Mais fixe par rapport à quoi ? Puisque dans l'univers tout est en mouvement, où trouver un point de repère immobile ? La Terre tourne autour du Soleil, qui est lui-même en mouvement autour du centre de la Voie lactée... Où s'arrête ce fantastique ballet ?

I. B. — Voilà la vraie question, révélée par le pendule de Foucault. Car la Voie lactée est en mouvement vers le centre du groupe local des galaxies voisines qui sont entraînées, à leur tour, vers le superamas local, c'est-à-dire un groupe de galaxies encore plus vaste. Or ce gigantesque ensemble de galaxies se dirige lui-même vers ce qu'on appelle « le Grand Attracteur », un immense complexe de galaxies massives situé à une très grande distance.

Or la conclusion à tirer de l'expérience de Foucault est stupéfiante : indifférent aux masses — pourtant considérables — que représentent soleils et galaxies proches, le plan d'oscillation du pendule est aligné sur des objets célestes qui se trouvent à des distances vertigineuses de la Terre, à l'horizon de l'univers. Dans la mesure où la totalité de la masse visible de l'univers se trouve dans les milliards de galaxies lointaines, cela signifie que le comportement du pendule est déterminé par l'univers *dans son ensemble* et non pas seulement par les objets célestes qui sont à proximité de la Terre.

Autrement dit, si je soulève ce simple verre sur la table, je mets en jeu des forces qui impliquent l'univers tout entier : tout ce qui se passe sur notre minuscule planète est en relation avec l'immensité cosmique, comme si chaque partie portait en elle la totalité de l'univers. Avec le pendule de Foucault, nous sommes donc contraints de reconnaître qu'il existe une interaction mystérieuse entre tous les atomes de l'univers, interaction qui ne fait intervenir aucun échange d'énergie ni aucune force, mais qui connecte cependant l'univers en une seule totalité.

J. G. — Tout se passe, semble-t-il, comme si une sorte de « conscience » établissait une connexion entre chaque atome de l'univers. Comme l'écrivait Teilhard de Chardin : « En chaque particule, chaque atome, chaque molécule, chaque cellule de matière, vivent cachées et œuvrent à l'insu de tous l'omniscience de l'éternel et l'omnipotence de l'infini. »

G. B. — Le physicien Harris Walker fait écho aux pensées de Teilhard lorsqu'il suggère que le comportement des particules élémentaires semble être gouverné par une force organisatrice.

J. G. — La physique quantique nous révèle que la nature est un ensemble indivisible *où tout se tient :* la totalité de l'univers apparaît présente en tout lieu et en tout temps. Et dès lors, la notion d'espace séparant deux objets par une distance plus ou moins grande ne semble plus avoir grand sens. Par exemple, ces deux livres, sur la table : de toute évidence, nos yeux, notre bon sens nous disent qu'ils sont séparés l'un de l'autre par une certaine distance. Qu'en est-il selon le physicien ? A partir du moment où deux objets physiques ont été amenés à interargir, l'on doit considérer qu'ils forment un système unique et que, par conséquent, ils sont inséparables.

G. B. — La notion d'inséparabilité est apparue dans les années vingt avec les premières théories quantiques. A cette époque, elle a suscité de terribles controverses, y compris chez les plus grands comme Einstein qui, en 1935, allait publier un article retentissant destiné à montrer que la théorie quantique était incomplète. Avec deux de ses collègues, Podolsky et Rosen, Einstein proposa une expérience imaginaire, célèbre aujourd'hui sous le nom « d'expérience EPR », d'après les initiales des trois auteurs.

Supposons que nous fassions rebondir deux électrons A et B l'un contre l'autre et que nous attendions qu'ils s'éloignent suffisamment afin que l'un ne puisse influencer l'autre de quelque manière. Dès lors, en effectuant des mesures sur A, on peut tirer des conclusions valables sur B et personne ne pourra prétendre qu'en mesurant la vitesse de A nous avons influencé celle de B. Or si l'on s'en tient à la mécanique quantique, critiquait Einstein, il nous est impossible de savoir quelle direction prendra la particule A avant que sa trajectoire ne soit enregistrée par un instrument de mesure puisque, toujours selon la théorie quantique, la réalité d'un événement dépend de l'acte d'observation. Or, si A « ignore » quelle direction prendre avant d'être enregistré par un instrument de mesure, comment B pourrait-il « connaître » *à l'avance* la direction de A et orienter sa trajectoire de manière à être capté exactement au même instant dans la direction opposée ?

Selon Einstein, tout ceci était absurde : la mécanique quantique était une théorie incomplète et ceux qui l'appliquaient au pied de la lettre faisaient fausse route. En fait, Einstein était persuadé que les deux particules représentaient deux entités distinctes, deux « grains de réalité » séparés dans l'espace, qui ne pouvaient s'influencer mutuellement.

Or, en effet, la physique quantique dit exactement le contraire. Elle affirme que ces deux particules apparemment séparées dans l'espace ne constituent qu'un seul et même système physique. En 1982, le physicien français Alain Aspect donnera définitivement tort à Einstein en montrant qu'il existe une inexplicable corrélation entre deux photons, c'est-à-dire deux grains de lumière, s'éloignant l'un de l'autre dans des directions opposées. Chaque fois que l'on modifie la polarité d'un des deux photons (grâce à un filtre), l'autre semble immédiatement « savoir » ce qui est arrivé à son compagnon et subit instantanément la même altération de polarité. Quelle explication peut-on donner d'un tel phénomène ? Bien embarrassés pour résoudre cette question, les physiciens ont proposé deux interprétations.

La première est que le photon A « fait savoir » ce qui se passe au photon B grâce à un signal qui va de l'un à l'autre à une vitesse supérieure à celle de la lumière. Après avoir remporté une adhésion plutôt prudente, cette interprétation est aujourd'hui de plus en plus rejetée par les physiciens qui lui préfèrent ce que Niels Bohr nommait l' « indivisibilité du quantum d'action », ou encore l'inséparabilité de l'expérience quantique.

Selon cette deuxième interprétation, nous devons accepter l'idée que les deux grains de lumière, même séparés par des milliards de kilomètres, font partie d'une *même* totalité : il existe entre eux une sorte d'interaction mystérieuse qui les maintient en contact permanent. Pour prendre un exemple très approximatif, disons que si je me brûle la main gauche, ma main droite sera immédiatement informée et subira un mouvement de recul semblable à celui de la gauche, parce que mes deux mains font partie de la totalité de mon organisme.

J. G. — Ces résultats reviennent à mettre en question les notions même d'espace et de temps, au sens où nous entendons ces mots.

Cela me rappelle une discussion que j'ai eue, il y a déjà un demi-siècle, avec Louis de Broglie. Nous étions en face du Panthéon, et il me disait que la physique et la métaphysique, les faits et les idées, la matière et la conscience, n'étaient qu'une seule et même chose. Pour illustrer sa pensée, il a fait appel à une image dont je me souviendrai toujours : celle du tourbillon dans une rivière. « A une certaine distance, m'a-t-il dit, on distingue nettement l'eau agitée du tourbillon par rapport au courant plus calme de la rivière. Ils sont saisis comme deux " choses " séparées. Mais en approchant, il devient impossible de dire où finit le tourbillon et où commence la rivière : l'analyse en parties distinctes et séparées n'a plus aucun sens : le tourbillon n'est pas réellement quelque chose de séparé mais un aspect du tout. »

G. B. — On peut même aller plus loin encore pour essayer de comprendre les physiciens lorsqu'ils affirment que le tout et la partie sont une seule et même chose. Voici un exemple frappant : celui de l'hologramme. La plupart des gens qui ont vu une image holographique (laquelle s'obtient en projetant un faisceau laser à travers la plaque sur laquelle une scène a été photographiée) ont eu l'étrange impression de contempler un objet réel en trois dimensions. On peut se déplacer autour de la projection holographique et l'observer sous des angles différents, tout comme un objet réel. Ce n'est qu'en passant la main au travers de l'objet qu'on constate qu'il n'y a rien.

Or si vous prenez un puissant microscope pour observer l'image holographique d'une goutte d'eau, par exemple, vous allez voir les micro-organismes qui se trouvaient dans la goutte originelle.

Ce n'est pas tout. L'image holographique possède une caractéristique encore plus curieuse. Admettons que je prenne une photo de la tour Eiffel. Si je déchire le négatif de ma photo en deux et que je fais développer une des deux moitiés, je n'obtiendrai, bien sûr, qu'une moitié de l'image originelle de la tour Eiffel.

Or tout change avec l'image holographique. Pour aussi étrange que cela puisse paraître, si on déchire un morceau d'un négatif holographique pour le mettre sous un projecteur laser, on n'obtiendra pas une « partie » de l'image, mais *l'image entière.* Même si je déchire le négatif une dizaine de fois pour n'en conserver qu'une partie minuscule, celle-ci contiendra la totalité de l'image.

Cela montre de façon spectaculaire qu'il n'existe pas de correspondance univoque entre les régions (ou parties) de la scène originale et les régions de la plaque holographique, comme c'était le cas pour le négatif d'une photo habituelle. La scène tout entière a été enregistrée partout sur la plaque holographique, de sorte que chacune des « parties » de la plaque en reflète la totalité. Pour David Bohm, l'hologramme présente une analogie frappante avec l'ordre global et indivisible de l'univers.

J. G. — Mais que se passe-t-il sur la plaque holographique pour produire cet effet selon lequel chaque « part » contient la totalité ?

I. B. — Selon Bohm, justement, il s'agit seulement d'une version instantanée, pétrifiée, de ce qui se produit à une échelle infiniment plus vaste dans chaque région de l'espace à travers tout l'univers, de l'atome aux étoiles, des étoiles aux galaxies.

J. G. — En vous écoutant, j'ai eu la réponse intuitive à une question que je me suis posée en lisant la Bible : pourquoi est-il écrit que Dieu a créé l'homme à son image ? Je ne crois pas que nous ayons été créés à l'image de Dieu : *nous sommes l'image même de Dieu...* Un peu comme la plaque holographique qui contient le tout dans chaque partie, chaque être humain est l'image de la totalité divine.

G. B. — Je peux vous aider, peut-être, à éclairer votre pensée en allant plus loin sur les chemins de cette métaphore ouverte par nos fameux hologrammes. Pour cela, il faut d'abord nous rappeler que la matière, c'est aussi des ondes, comme l'a montré Louis de Broglie. La matière des objets est donc elle-même composée de configurations ondulatoires, qui interfèrent avec les configurations d'énergie. L'image qui en découle est celle d'une configuration encodante — c'est-à-dire similaire à l'hologramme — de matière et d'énergie se propageant sans cesse à travers tout l'univers. Chaque région de l'espace, aussi petite soit-elle, en descendant jusqu'au simple photon, qui est aussi une onde ou un « paquet d'ondes », contient, comme chaque région de la plaque holographique, la configuration de l'ensemble ; ce qui se passe sur notre minuscule planète est dicté par toutes les hiérarchies des structures de l'univers.

J. G. — Je dois avouer que c'est une vision à couper le souffle : un univers holographique infini où chaque région, bien qu'étant distincte, contient le tout. Nous voilà donc renvoyés, une fois de plus, à l'image de la totalité divine, aussi bien dans l'espace que dans le temps.

En tout cas, c'est bien ainsi que nous aboutissons au premier principe d'un univers sans discontinuité, holistiquement ordonné : tout reflète tout le reste. Il faut voir là, en effet, une des plus importantes conquêtes de la théorie quantique. Même si notre esprit n'en a pas encore assimilé toutes les conséquences, cette révolution représente quelque chose de bien plus important que le glissement, à la fin du Moyen Âge, de l'idée d'une Terre plate vers celle d'une Terre ronde. La tasse de café sur cette table, les habits que nous portons, ce tableau que je viens de peindre, tous ces objets que nous identifions comme des parties portent la totalité enfouie en eux : poussières cosmique et atomes de Dieu, *nous tenons tous l'infini au creux de notre main.*

Tout au long de ce livre, nous avons tenté de montrer que l'ancien matérialisme — celui-là même qui rejetait l'esprit dans l'univers flou de la métaphysique — n'avait, désormais, plus cours. D'une certaine façon « rassurant et complet », le matérialisme exerçait sur nous l'irrésistible séduction de l'ancienne logique ; les éléments de l'univers étaient fermes et stables, et les mystères du cosmos, ses incertitudes apparentes, n'étaient que l'aveu de notre propre incompétence, de nos limites intérieures : en somme, des problèmes qui, un jour plus ou moins lointain, seraient résolus à leur tour.

Mais la nouvelle physique et la nouvelle logique ont bouleversé cette conception. Le principe de Complémentarité énonce que les constituants élémentaires de la matière, tels les électrons, sont des entités à double visage ; à la manière de Janus, ils nous apparaissent tantôt comme des grains de matière solide, tantôt comme des ondes immatérielles. Ces deux descriptions se contredisent, et pourtant le physicien a besoin des deux à la fois. Il est donc forcé de les traiter comme si elles étaient simultanément exactes et coexistentes. De là, Heinsenberg fut le premier à comprendre que la complémentarité entre l'état de grain et celui d'onde mettait fin pour toujours au dualisme cartésien entre matière et esprit : l'un et l'autre sont les éléments complémentaires d'une seule et même réalité.

Ainsi se trouve modifiée, de manière profonde et irréversible, la distinction fondamentale entre matière et esprit. De là, une nouvelle conception philosophique, à laquelle nous avons donné le nom de métaréalisme.

*Cette voie nouvelle offerte par la physique quantique transforme l'image que se fait l'homme de l'univers, ceci de façon bien plus radicale que ne l'a fait la révolution copernicienne. Même si le grand nombre n'a pas encore pris conscience d'un tel changement, même si les dogmes et les tabous de la science du XIX*e *siècle sur les concepts d'espace, de temps, de matière et d'énergie, prisonniers de la causalité et du déterminisme, dominent encore la pensée de l'* « *honnête homme* »*, le temps n'est plus éloigné où ces notions passéistes ne seront plus considérées que comme des anachronismes dans l'histoire des idées.*

Puisque les physiciens ont dématérialisé le concept même de matière, ils nous ont offert, en même temps, l'espoir d'une nouvelle voie philosophique : celle du métaréalisme, voie d'un certain au-delà, ouverte à l'ultime fusion entre matière, esprit et réalité.

VERS LE MÉTARÉALISME

J. G. — Le moment est venu, pour cette dernière station dans notre dialogue, de chercher un au-delà à ce vieux débat qui a opposé si longtemps les deux doctrines fondamentales sur la nature de l'Être : le matérialisme et le spiritualisme. De même, il nous faudra chercher une troisième voie entre ces deux philosophies de la connaissance que sont le réalisme et l'idéalisme. C'est ici, au terme d'une synthèse entre l'esprit et la matière, que nous allons rencontrer cette nouvelle vision du monde, à la fois doctrine ontologique et théorie de la connaissance : le *métaréalisme.*

I. B. — Il me paraît important, à ce point, de préciser les différences entre spiritualisme et idéalisme d'une part, entre matérialisme et réalisme, d'autre part.

J. G. — Bien que complémentaires, ces deux couples touchent à deux problèmes différents l'un de l'autre : alors que le spiritualisme (qui s'oppose au matérialisme) est une doctrine sur l'Être, l'idéalisme (opposé au réalisme) est une théorie de la connaissance. Aux yeux d'un spiritualiste, la réalité a une dimension purement spirituelle ; au contraire, le matérialisme réduit le réel à une dimension strictement mécanique, l'esprit n'y jouant aucun rôle et n'ayant, d'ailleurs, aucune existence indépendante.

Voyons maintenant l'idéalisme : selon cette approche, le réel n'est pas accessible. Existe-t-il en tant que réalité indépendante ? il est impossible de l'affirmer : seules existent les perceptions que nous en avons. Au contraire, pour le réalisme, le monde a une réalité objective, indépendante de l'observateur, et nous le percevons *tel qu'il est.*

Aucune de ces attitudes ne me paraît aujourd'hui coïncider avec le réel et les représentations qu'il suscite : le seul modèle du monde désormais admissible repose sur la physique moderne.

Au cours de mes réflexions, j'ai tout d'abord isolé cette pensée de Heisenberg, tant elle me paraît devoir être retenue dans la thèse que nous voulons défendre : « Gardant à l'esprit la stabilité intrinsèque des concepts du langage normal au cours de l'évolution scientifique, l'on voit que — après l'expérience de la physique moderne — notre attitude envers des concepts comme l'esprit humain, l'âme, la vie ou Dieu sera différente de celle qu'avait le XIXe siècle. »

I. B. — Des considérations analogues ont d'ailleurs conduit le physicien Eddington à faire la remarque suivante : « On pourra dire, peut-être, que la conclusion à tirer de ces arguments de la science moderne est que la religion est devenue possible, pour un scientifique raisonnable, aux alentours de l'année 1927. »

J. G. — Cette année 1927 est l'une des plus importantes dans l'histoire de la pensée contemporaine. Elle marque le coup d'envoi de la philosophie métaréaliste. C'est l'année où Heisenberg expose son Principe d'Incertitude, où le chanoine Lemaître exprime sa théorie sur l'expansion de l'univers, où Einstein propose sa théorie du champ unitaire, où Teilhard de Chardin publie les premiers éléments de son œuvre. Et c'est l'année du congrès de Copenhague, qui marque la fondation officielle de la théorie quantique.

Or n'est-il pas significatif que ces bouleversements épistémologiques aient été provoqués par des hommes de science ?

Ceci a pour conséquence que les philosophes eux-mêmes doivent s'interroger sur la signification profonde de ces bouleversements, en répondant notamment à cette question : qu'est-ce que la science cherche à nous transmettre ? quelles sont les nouvelles valeurs qu'elle propose et en quoi contribue-t-elle à forger une nouvelle vision du monde ?

Pour répondre, il nous faudra adopter un parti métaréaliste : les retombées de la science dans le champ philosophique nous donnent les moyens, pour la première fois, de faire la synthèse entre le matérialisme et le spiritualisme, de concilier le réalisme et l'idéalisme : la réalité immanente que nous percevons rejoint alors le principe transcendant qui est supposé lui avoir donné naissance.

Rappelons que les philosophies spiritualistes sont unanimes à nier une origine matérielle à l'esprit humain, affirmant que la pensée est une donnée de l'univers antérieure à la matière. Certains d'entre eux, plus extrémistes encore, nient même l'existence autonome de la matière. C'est le cas de Berkeley, pour qui l'univers n'est qu'une image de Dieu.

I. B. — Les « monades » de Leibniz ne sont-elles pas également une forme de spiritualisme ?

J. G. — Oui, mais poussé à l'extrême. Le système philosophique de Leibniz conduit vers une sorte de *spiritualisme objectif* dans la mesure où il postule, comme chez Platon ou Hegel, l'existence d'une base spirituelle « objective » distincte de la conscience humaine et indépendante d'elle. Cette base spirituelle objective n'était rien d'autre que l'Idée Absolue de Hegel ou plus simplement : Dieu. Dans ce cas, Dieu est transcendant à l'univers et ne se confond pas avec lui.

G. B. — A ce point se pose la question : si l'univers repose sur l'existence d'un Être transcendant, comment accéder à cet Être ? Ne sommes-nous pas, de fait, coupés de l'essence profonde de cet univers ?

I. B. — C'est ce point de vue que développent les courants idéalistes. Sous le nom d'idéalisme se regroupent les philosophies pour lesquelles la réalité « en soi » n'est pas connaissable : la seule évidence d'un monde extérieur réside dans nos perceptions, dans nos sensations de couleur, de dimension, de goût, de forme, etc. Du jour où nous naissons, on nous apprend que nous devons avoir une perception commune du monde. Ce qu'une personne perçoit comme un arbre, une fleur, une rivière, toute autre personne doit les percevoir comme arbre, fleur ou rivière. Ceci est la conséquence directe de nos croyances communes en un monde « en soi ».

Or le cybernéticien Heinz von Foerster énonce que l'esprit humain ne perçoit pas ce qui est *là*, mais ce qu'il *croit* être là. Notre faculté de voir dépend de la rétine qui absorbe la lumière du monde extérieur, puis transmet des signaux au cerveau. Ce même schéma s'applique d'ailleurs à toutes nos perceptions sensorielles. Pourtant, la rétine ne perçoit pas la couleur, explique von Foerster ; elle est aveugle à la qualité de la stimulation et n'est sensible qu'à sa quantité. « Cela ne devrait pas constituer une surprise, ajoute-t-il, car en fait il n'y a ni lumière ni couleur *en soi :* il y a seulement des ondes électromagnétiques. »

De même, il n'y a ni sons ni musiques : seulement des variations momentanées de la pression de l'air sur nos tympans. Il n'y a pas de chaud et pas de froid : seulement des molécules en mouvement avec plus ou moins d'énergie cinétique, et ainsi de suite.

En somme, selon les idéalistes, nous ne naissons pas en faisant partie du monde : *nous naissons en faisant partie de quelque chose que nous construisons à l'intérieur du monde.* L'idéalisme impose l'idée que chacun de nous vit dans une sorte de « sphère de conscience » qui interfère à la fois avec le réel inconnu et d'autres sphères de conscience. Une fois de plus, la conception d'une réalité objective s'évapore : s'interroger sur la réalité qui nous entoure sans tenir compte de ceux qui l'observent n'a alors aucun sens.

Au fond, ma propre « sphère de conscience » ne me renseigne en rien sur la réalité elle-même : ma connaissance du monde se réduit aux idées que je m'en fais ; quant au réel au-delà de mes sens, il reste obscur, voilé, mystérieux et, probablement, inconnaissable.

G. B. — Nous retrouvons là l'idéalisme en physique : le réel n'est saisissable, évaluable, et, à l'extrême, *n'existe* qu'au travers d'un acte d'observation.

J. G. — Que pouvons-nous dire de ce réel énigmatique ? Là encore, je voudrais revenir sur une idée dont nous avons déjà parlé dans ce livre : j'ai l'intuition que nous sommes plongés dans ce fameux champ d'information fait de conscience et de matière que nous avons décrit plus haut.

G. B. — Et nous sommes à nouveau ramenés vers la théorie du champ quantique : les particules élémentaires y sont considérées comme la manifestation d'un champ quantique où la matière et tous ses mouvements sont produits par une sorte de champ d'information sous-jacent. Le physicien Hamilton va plus loin encore lorsqu'il énonce que la matière est peut-être le résultat d'une série d'interactions entre des « champs d'information » : une particule ne se déploie dans le « monde réel » que dans un mouvement d'onde issu d'un océan d'informations, comme une grande vague d'eau qui est produite par le mouvement général de l'océan. C'est ce flux constant, cette sorte de « marée » qui donne naissance à un objet, lequel a toutes les propriétés d'une particule matérielle.

De manière analogue, selon l'interprétation causale de David Bohm, les particules élémentaires sont issues d'un champ quantique global. L'information y joue un rôle déterminant en donnant naissance, non seulement aux processus quantiques, mais aussi aux particules elles-mêmes. Elle est responsable de la manière dont les processus quantiques se déploient à partir du champ quantique de l'univers.

J. G. — Tout cela confirme bien que l'ordre de l'esprit et celui de la matière ne sont pas irréductibles mais se rangent dans un spectre d'ordre général qui s'étend de l'ordre mécanique à l'ordre « spirituel ». Si l'esprit et la matière ont pour origine un spectre commun, il devient clair que leur dualité est une illusion, due au fait que l'on ne considère que les aspects mécaniques de la matière et la qualité intangible de l'esprit.

I. B. — Nous atteignons ici une idée analogue au Principe d'Incertitude de Heisenberg, selon lequel nous n'*observons* pas le monde physique : *nous y participons.* Nos sens ne sont pas séparés de qui existe « en soi », mais ils sont intimement impliqués dans un processus complexe de feedback dont le résultat final est, en fait, de *créer* ce qui est « en soi ».

Selon la physique nouvelle, nous rêvons le monde. Nous le rêvons comme quelque chose de durable, de mystérieux, de visible, d'omniprésent dans l'espace et de stable dans le temps. Mais au-delà de cette illusion, toutes les catégories de réel et d'irréel s'évanouissent. De même qu'on ne peut plus considérer que le chat de Schrödinger est *soit* vivant, *soit* mort, de même on ne peut pas percevoir le monde objectif comme existant ou n'existant pas : l'esprit et le monde ne forment qu'une seule et même réalité.

J. G. — Comme le dit Pearce : « L'esprit humain reflète un univers qui reflète l'esprit humain. » Dès lors, on ne peut pas dire, simplement, que l'esprit et la matière coexistent : ils *existent l'un à travers l'autre.* D'une certaine manière, à travers nous, l'univers est donc en train de rêver de lui-même : le métaréalisme commence au moment même où le rêveur prend conscience de lui-même et de son rêve.

I. B. — Je crois intéressant, ici, de rapprocher votre point de vue de celui d'un grand physicien américain, Heinz Pagels : « Qu'est-ce que l'univers ? Est-ce un grand film en relief dont nous sommes les acteurs involontaires ? Est-ce une farce cosmique, un ordinateur géant, l'œuvre d'art d'un Être suprême, ou, tout bonnement, une expérience ? Nos difficultés à comprendre l'univers tiennent à ce que nous ne savons pas à quoi le comparer. »

Cependant, le même Heinz Pagels poursuit, en exprimant le point de vue de la plupart des physiciens : « Je crois que l'univers est un message rédigé dans un code secret, un code cosmique, et que la tâche du scientifique consiste à déchiffrer ce code. »

J. G. — Pour admettre l'existence de ce code cosmique et pour le comprendre, il faut situer sa pensée dans un cadre métaréaliste. J'invite nos lecteurs à méditer sur les trois caractères qui me semblent définir ce cadre :

— *l'esprit et la matière forment une seule et même réalité ;*

— *le Créateur de cet univers matière/esprit est transcendant ;*

— *la réalité en soi de cet univers n'est pas connaissable.*

Notre démarche est-elle légitime ? en tout cas, elle trouve un écho troublant dans la philosophie d'un penseur qui, au cœur du Moyen Âge, eut cependant l'intuition de ce qui annonçait le métaréalisme : saint Thomas d'Aquin. A la fois métaphysicien, logicien et théologien, saint Thomas a entrepris de concilier la foi chrétienne avec la philosophie rationnelle d'Aristote.

Enfin, pour éclairer cette fin de dialogue,

pour en dissiper comme un regret de le voir s'achever, cette dernière remarque : peut-être que si saint Thomas d'Aquin exerce une influence aussi profonde sur la pensée contemporaine, c'est qu'il est le premier à avoir entrepris de poser une harmonie entre ce qui est *cru* et ce qui est *su :* entre l'acte de foi et l'acte de savoir, en un mot : entre Dieu et la science.

ÉPILOGUE

POURQUOI Y A-T-IL QUELQUE CHOSE PLUTÔT QUE RIEN ?

Quelle certitude ? quelle espérance ? quel savoir ? Que devons-nous retenir de cet essai de philosophie à haute voix ?

D'abord une façon de chercher du sens dans l'insignifiant ; du « projet » dans le plus petit des hasards ; de l'événement dans la ténuité des choses : la feuille d'un arbre, le chant d'un oiseau, la chute d'une goutte d'eau, le vent dans le vide.

Toutes ces petites choses conspirent dans l'invisible pour former le réel, convergent au cœur de nous-mêmes jusqu'à y faire naître un besoin irrépressible : le désir de réalité.

C'est ce désir même qui nous a poussés, au cours de nos dialogues, à la recherche de l'Être.

Mais qu'avons-nous vu de cet Être ? Avant tout, son épaisseur, son opacité, en même temps que sa ténuité et la multiplicité de ses formes ; notre dialogue a donc trouvé sa frontière naturelle, son point d'arrêt le plus élevé, avec cette idée : la réalité indépendante nous est inaccessible, le réel est voilé, inconnaissable à tout jamais.

Peut-être aussi, pour la première fois, prenons-nous conscience que le bonheur d'une pensée « moderne », à la croisée de la physique nouvelle et de la philosophie, est d'avoir décrit l'énigme de l'univers, au prix de son remplacement par une énigme plus profonde, plus difficile : celle de l'esprit lui-même.

Reste donc cette question, la dernière, la plus redoutable. Elle a ouvert ce dialogue et devra le refermer : quelle est la signification de l'univers ? où tout cela nous mène-t-il ? *pourquoi y a-t-il quelque chose plutôt que rien ?*

Ceux qui entrent par la pensée profonde dans cette interrogation connaissent d'emblée le vertige philosophique le plus intense. Teilhard de Chardin avait à peine sept ans lorsque, soudain, il se trouva face au mystère. Sa mère lui avait montré une mèche de cheveux ; elle avait approché une allumette, la mèche s'était anéantie. Sitôt la flamme éteinte, le petit Teilhard avait senti l'absurdité du néant. Et comme les expériences de négation, de mort, d'angoisse et de péché sont plus fortes que leurs contraires, Teilhard se demande : pourquoi y a-t-il des choses ? pourquoi ont-elles une fin ? d'où a surgi cet Être qui est en moi — qui *est* moi — et qui ne sait pas la raison profonde de son existence ?

***

L'univers : des centaines de milliards d'étoiles, dispersées dans des milliards de galaxies, elles-mêmes perdues dans une immensité silencieuse, vide et glacée. La pensée entre en effroi devant cet univers si différent d'elle, qui lui paraît monstrueux, tyrannique et hostile : pourquoi existe-t-il ? et pourquoi existons-nous à travers lui ?

Vingt milliards d'années après son apparition, la matière poursuit sa course dans l'espace-temps. Mais où nous mène cette course ?

La cosmologie répond que l'univers n'est pas éternel. Qu'il aura une fin, même si cette fin est immensément lointaine. Il ne pourra pas échapper à l'une de ces deux morts possibles : la mort par le froid ou la mort par le feu.

Dans le premier cas, l'univers est dit « ouvert » : son expansion se poursuit indéfiniment, les galaxies se perdant dans l'infini tandis que les étoiles s'éteignent une à une, après avoir rayonné leurs ultimes réserves. Au-delà de la durée de vie du proton, la matière elle-même se désagrège. Vient le dernier instant, celui où les ultimes poussières cosmiques sont englouties à leur tour au sein de l'immense trou noir qu'est devenu l'univers agonisant. Enfin, l'espace-temps lui-même se résorbe : tout retourne au néant.

D'un point de vue métaphysique, rien n'est plus poignant que cet embrasement, que cette montée d'une neige de matière, cette lente déconcentration, cette irradiation illimitée, qui revêt toutes les couleurs de l'arc-en-ciel avant de s'évanouir.

De quoi sera fait ce néant ? que restera-t-il de l'information accumulée pendant des centaines de milliards d'années, partout dans l'univers ?

Une réponse passe, peut-être, par la mise en évidence d'une relation entre l'information d'un système (son organisation) et l'entropie (dégradation de l'ordre de ce système).

On peut admettre, avec la plupart des physiciens, que l'acquisition de l'information (c'est-à-dire d'une connaissance) consomme de l'énergie et provoque donc l'accroissement de l'entropie globale au sein d'un système. Autrement dit, si l'entropie mesure le désordre physique d'un système, elle est en même temps un indicateur indirect d'une quantité d'information détenue, localement, par ce même système. La théorie de l'information débouche donc sur cette affirmation surprenante : le chaos est un indice de la présence, au sein d'un système, d'une certaine quantité d'information.

A l'extrême, l'état de désordre maximal caractérisant l'univers au moment de sa disparition peut être interprété comme le signe de la présence, au-delà de l'univers matériel, d'une quantité d'information également maximale.

La finalité de l'univers se confond ici avec sa fin :

produire et libérer de la connaissance. A ce stade ultime, toute l'histoire du cosmos, son évolution durant des centaines de milliards d'années, se trouvent converties en une Totalité de connaissance pure.

Quelle entité détiendra cette connaissance ? sinon un Être infini, transcendant l'univers lui-même ? Et quel usage fera-t-il de ce savoir infini qui le constitue et dont il est, en même temps, l'origine ?

⁂

Le destin à long terme de l'univers n'est pas prévisible. Du moins, pas encore. Si sa masse totale est supérieure à une certaine valeur critique, alors, au bout d'un temps plus ou moins long, la phase d'expansion prendra fin. Dans ce cas, il est possible qu'une nouvelle contraction ramène le cosmos à son point d'origine. La matière formant les galaxies, les étoiles, les planètes, tout cela serait comprimé jusqu'à redevenir un simple point mathématique annulant l'espace et le temps.

Ce scénario a beau être à l'opposé de celui qui précède, ici encore, tout retourne au néant. Ici encore, au terme d'un lent processus de dématérialisation, l'information se sépare de la matière comme pour s'en libérer à jamais.

Y a-t-il une conclusion à tirer de cette observation

du destin cosmique ? que peut-on penser d'un univers situé entre deux néants ? Essentiellement ceci : cet univers-là n'a pas le caractère de l'Être en soi. Il suppose l'existence d'un Être autre que lui, situé en dehors de lui. Si notre réalité est temporelle, la cause de cette réalité est ultratemporelle, transcendante au temps comme à l'espace.

Nous voici très près de cet Être que la religion appelle Dieu. Mais approchons-nous encore : parmi les différents constats scientifiques établis sur le réel, il en existe trois qui suggèrent avec force l'existence d'une entité transcendant notre réalité.

Premier constat : l'univers nous apparaît comme fini, fermé sur lui-même. Si nous le comparons à une bulle de savon qui remplit tout, qu'y a-t-il « autour » de cette bulle ? De quoi est fait « l'extérieur » de la bulle ? Il est impossible d'imaginer un espace à l'extérieur de l'espace pour le contenir : d'un point de vue physique, un tel extérieur ne peut exister.

Nous sommes donc conduits à poser au-delà de notre univers l'existence de « quelque chose » de bien plus complexe : une totalité au sein de laquelle notre réalité est en somme immergée, un peu comme une vague dans un vaste océan.

La deuxième question est celle-ci : l'univers est-il nécessaire, ou au contraire contingent : existe-t-il un déterminisme supérieur à l'indétermination quantique ? Si la théorie quantique a démontré que l'interprétation probabiliste est la seule qui nous permette de décrire le réel, nous devons en conclure que, face à une nature irrésolue, il doit exister, hors de l'univers, une Cause de l'harmonie des causes, une Intelligence discriminante, distincte de cet univers.

Terminons par le troisième argument, le plus important : le principe anthropique.

L'univers paraît construit et réglé — avec une précision inimaginable — à partir de quelques grandes constantes. Il s'agit de normes invariables, calculables, sans que l'on puisse déterminer pourquoi la nature a choisi telle valeur plutôt que telle autre. On doit assumer l'idée que dans tous les cas de figures différents du « miracle mathématique » sur lequel repose notre réalité, l'univers aurait présenté les caractères du chaos absolu : danse désordonnée d'atomes qui se coupleraient et se découpleraient l'instant d'après pour retomber, sans cesse, dans leurs tourbillons insensés. Et puisque le cosmos renvoie à l'image d'un ordre, cet ordre nous conduit, à son tour, vers l'existence d'une cause et d'une fin qui lui sont extérieures.

*
**

Dans le sillage de tout ce qui précède, nous pouvons appréhender l'univers comme un message exprimé dans un code secret, une sorte de hiéroglyphe cosmique que nous commençons tout juste à déchiffrer. Mais qu'y a-t-il dans ce message ? Chaque atome, chaque fragment, chaque grain de poussière existe dans la mesure où il participe d'une signification universelle. Ainsi se décompose le code cosmique : d'abord de la matière, ensuite de l'énergie, et enfin de l'information. Y a-t-il encore quelque chose au-delà ? Si nous acceptons l'idée que l'univers est un message secret, *qui* a composé ce message ? Si l'énigme de ce code cosmique nous a été imposée par son auteur, nos entreprises de déchiffrement ne forment-elles pas une sorte de trame, de miroir de plus en plus net, dans lequel l'auteur du message renouvelle la connaissance qu'il a de lui-même ?

*
**

Voilà un demi-siècle qu'Henri Bergson s'est éteint. Hanté, comme tous les philosophes, par l'ultime interrogation, il avait murmuré cette chose étrange : « L'univers est une machine à faire des dieux... »

Ce fut son dernier souffle philosophique.

J.G.
G.B.
I.B.

*Nous remercions Mathieu de La Rochefoucauld,
notre ami, pour la lecture attentive
qu'il a bien voulu faire du manuscrit de ce livre.*

Achevé d'imprimer en mai 1991
sur presse CAMERON
dans les ateliers de la S.E.P.C.
à Saint-Amand-Montrond (Cher)
pour le compte des éditions Grasset
61, rue des Saints-Pères, 75006 PARIS

Nº d'Édition : 8494. Nº d'Impression : 1285-978
Dépôt légal : mai 1991
Imprimé en France

ISBN 2-246-42411-9